MonLab | L'apprentissage optimisé

ACCÉDEZ à MonLab

MonLab, c'est l'environnement numérique de votre manuel. Il vous connecte aux exercices interactifs ainsi qu'aux documents complémentaires de l'ouvrage. De plus, il vous permet de suivre la progression de vos résultats ainsi que le calendrier des activités à venir. **MonLab** vous accompagne vers l'atteinte de vos objectifs, tout simplement !

D1328129

INSCRIPTION de l'étudiant

❶ Rendez-vous à l'adresse de connexion **mabiblio.pearsonerpi.com**

❷ Suivez les instructions à l'écran. Lorsqu'on vous demandera votre code d'accès, utilisez le code fourni sous l'étiquette bleue.

❸ Vous pouvez retourner en tout temps à l'adresse de connexion pour consulter MonLab.

L'accès est valide pendant 60 MOIS à compter de la date de votre inscription.

CODE D'ACCÈS DE L'ÉTUDIANT

SC60ST-ABOHM-SYNCH-ISSUE-PLUSH-ROUSE

AVERTISSEMENT: Ce livre NE PEUT ÊTRE RETOURNÉ si la case ci-dessus est découverte.

ACCÈS de l'enseignant

Du matériel complémentaire à l'usage exclusif de l'enseignant est offert sur adoption de l'ouvrage. Certaines conditions s'appliquent. **Demandez votre code d'accès à information@pearsonerpi.com**

1 800 263-3678 option 2
pearsonerpi.com/aide

W20808 (A38629)

3868

CAHIER DE
TERMINOLOGIE
MÉDICALE

UNE APPROCHE PAR SYSTÈMES

2e édition

SYLVIE SOUCY

CAHIER DE
TERMINOLOGIE
MÉDICALE

UNE APPROCHE PAR SYSTÈMES

2e édition

PEARSON

Développement éditorial
Philippe Dubé

Gestion de projet
Geneviève-Anaïs Proulx

Révision linguistique
Véra Pollak

Correction d'épreuves
Dominique Lauzon

Direction artistique
Hélène Cousineau

Supervision de la réalisation
Estelle Cuillerier

Conception graphique de la couverture
Benoit Pitre

Conception graphique
Andrée Lauzon

Réalisation graphique
Pige communication

© ÉDITIONS DU RENOUVEAU PÉDAGOGIQUE INC. (ERPI), 2017
Membre du groupe Pearson Education depuis 1989

1611, boulevard Crémazie Est, 10e étage
Montréal (Québec) H2M 2P2
Canada
Téléphone : 514 334-2690
Télécopieur : 514 334-4720
information@pearsonerpi.com
pearsonerpi.com

Dépôt légal – Bibliothèque et Archives nationales du Québec, 2017
Dépôt légal – Bibliothèque et Archives Canada, 2017

Imprimé au Canada   23456789   HLN   20 19 18
ISBN 978-2-7613-8560-2   20808 ABCD   OF10

Avant-propos

Dans le milieu de la santé, la maîtrise de la terminologie médicale est essentielle à la communication. Quelle que soit la profession qu'on désire exercer, il faut donc apprendre les mots du langage médical. Conçu dans un but pédagogique, ce cahier utilise une approche structurée pour rendre simple et facile cet apprentissage de la terminologie médicale :

- il aborde la terminologie médicale par une introduction aux préfixes, radicaux et suffixes utilisés dans le langage médical ;
- il met en relation ces préfixes, radicaux et suffixes avec les différents systèmes et organes du corps humain ;
- il offre des exercices variés afin que l'étudiant puisse mettre en application dans divers contextes la technique d'analyse proposée.

Les deux premiers chapitres de cet ouvrage comportent les éléments nécessaires à la compréhension et à l'analyse de la terminologie médicale. En effet, le premier chapitre comprend les généralités reliées à ce langage. Il y est question de la lexicologie, de la technique d'analyse de termes, du français appliqué au domaine médical et des différents symboles et abréviations utilisés dans ce langage.

Le deuxième chapitre concerne la lexicologie des préfixes, des radicaux et des suffixes reliée à la terminologie médicale. Pour chacun de ces éléments, l'étudiant trouvera de nombreux exemples reliés aux affections, aux manifestations cliniques, aux interventions, aux instruments chirurgicaux et aux médicaments. À la fin de ces lexiques, l'étudiant pourra mettre à l'épreuve les connaissances acquises par de nombreux exercices pratiques. Dans ce chapitre, on trouvera aussi des termes médicaux courants qui ne peuvent pas être décomposés selon la technique d'analyse proposée.

Les chapitres suivants correspondent aux différents systèmes du corps humain. Selon une même séquence d'apprentissage, l'étudiant y trouvera les définitions relatives au système concerné, y compris le vocabulaire et les radicaux propres au système, sans oublier des exercices lui permettant de mesurer ses connaissances.

Finalement, le dernier chapitre est une révision des différentes notions acquises au cours des chapitres précédents. En effet, l'étudiant pourra mettre à l'épreuve ses connaissances grâce à de nombreux exercices pratiques.

Le matériel numérique novateur aborde différents modes d'apprentissage (visuel ou auditif) et propose des exercices d'analyse de termes et des dictées en format MP3 ainsi qu'un dictionnaire audio répertoriant 225 termes et leur explication lexicale. Il propose également des exercices autocorrigés comportant des questions à choix multiple, des «vrai ou faux» et des questions avec menu déroulant.

Remerciements

L'auteure et l'éditeur tiennent à remercier les personnes suivantes, qui ont apporté des commentaires utiles sur le manuscrit.

Marie Dalbec

Suzie Descôteaux
Cégep de Saint-Jérôme

Antoinette Lambert
Collège de Bois-de-Boulogne

Madeleine Léger
Collège François-Xavier-Garneau

Johanne Morel
Cégep de l'Abitibi-Témiscamingue à Rouyn-Noranda

Renée Parent
Collège Édouard-Montpetit

Diane Pronovost
CSS Lucille-Teasdale

L'auteure et l'éditeur remercient également **Diane Courchesne,** T.M., de l'Hôpital Pierre-Le Gardeur, qui a vérifié les valeurs de laboratoire.

Table des matières

Introduction à la **terminologie médicale**

Définitions

Il est impossible de commencer à apprendre la terminologie médicale sans définir des termes absolument essentiels à la bonne compréhension du sujet.

TERMINOLOGIE

Ensemble des termes techniques propres à une science, utilisés par ceux qui s'y intéressent.

TERMINOLOGIE MÉDICALE

Étude des différents termes techniques appartenant au domaine de la médecine et des différents éléments associés, par exemple les abréviations médicales.

Formation des termes médicaux

Vous pourrez noter une certaine similitude entre la formation des termes médicaux mentionnés dans ce cahier et la formation des mots dans la langue française. En effet, la langue française ne s'appuie pas seulement sur l'emprunt de termes provenant de langues étrangères. Elle forme aussi ses propres mots en ajoutant au radical du terme d'autres éléments, tels que les préfixes ou les suffixes. La fonction principale de ces éléments est de modifier le sens du radical pour créer un nouveau mot. Prenons par exemple l'ajout du préfixe «re» qui peut signifier un retour en arrière, comme dans «retourner», ou encore une répétition, comme dans «redire» ou «refaire». Un autre exemple est celui du préfixe «dé». Celui-ci peut évoquer un déplacement, comme dans «déplacer» ou encore un sens contraire, comme dans «démonter» ou «défaire».

Le même principe s'applique à la formation des termes médicaux. Vous pourrez noter l'ajout de préfixes et/ou de suffixes au radical du terme médical, ce qui aura pour effet d'en modifier la signification.

Débutons par la définition de ces différents éléments.

RADICAL

Le *radical* est la racine d'un mot, soit sa portion invariable. Le *radical* est à l'origine de la famille des mots qui en dérivent.

Appliqué à la terminologie médicale, le *radical* sert souvent à désigner:

- un organe ou une partie d'organe;
- une fonction reliée à un organe;
- un élément qui fait partie intégrante du corps humain.

Exemples

- L'adjectif qualificatif **gastr**ique est formé du radical *gastr,* qui désigne l'**estomac**, un organe du corps humain.
- Le terme **acou**métrie est formé du radical, *acou,* qui veut dire **audition** ou **entendre.**
- Le mot **azot**émie est formé du radical *azot* qui sert à désigner l'**azote,** un élément chimique, et du radical *émie* qui signifie **sang.**

Invariablement, un mot doit comporter au moins un radical, qui est son élément vital. En terminologie médicale, comme dans la terminologie générale, par ailleurs, un même terme peut être formé de un ou de plusieurs radicaux, comme dans le terme «leucocyte» (formé de «leuco» – blanc, et de «cyte» – globule [voir plus loin]).

AFFIXE

L'*affixe* est un élément susceptible d'être incorporé dans un mot pour en modifier le sens ou la fonction. Lorsque l'affixe est placé devant le radical, il porte le nom de *préfixe*. Lorsqu'il est placé à la suite du radical, il porte le nom de *suffixe* et, finalement, lorsqu'il est placé dans le radical, il porte le nom d'*infixe*.

Exemple

Notez que plusieurs radicaux peuvent être utilisés comme *affixes* dans le but de modifier un terme médical, comme le radical *ambly,* dans **ambly**opie, ou encore le radical *blaste,* dans érythro**blaste,** etc., et qu'un terme médical ne comporte pas obligatoirement un affixe, par exemple, «leucocyte». Formé des radicaux réunis : **leuco,** qui signifie de couleur blanche et de **cyte,** qui signifie globule (ou cellule), ce terme désigne les globules blancs.

Préfixe

Élément placé devant le radical d'un mot, et qui sert à en modifier le sens.

Exemple

Le terme calcémie désigne la quantité de calcium présente dans le sang. Si l'on rajoute à ce terme le préfixe *hypo…* qui évoque une diminution, on forme un nouveau mot, soit **hypo**calcémie. Le sens de ce terme a ainsi été modifié ; il désigne la diminution de la quantité de calcium dans le sang.

Suffixe

Élément placé à la suite d'un radical pour en modifier le sens.

Exemple

Le radical *gastr* signifie estomac. Si l'on ajoute le suffixe…*ectomie,* qui évoque une ablation chirurgicale, on forme un nouveau mot. En effet, le terme gastr**ectomie** signifie ablation chirurgicale de l'estomac.

Infixe

Élément placé à l'intérieur d'un terme pour en modifier le sens.

Exemple

Prenons les deux termes médicaux suivants : hémiopie : conservation de la vision dans une moitié du champ visuel ; hémi**an**opie : perte de la vision dans une moitié du champ visuel.

On remarque que l'infixe *an* a modifié le sens du premier terme de cet exemple.

■ ■ REMARQUE

L'utilisation de l'infixe est de nature plutôt théorique que pratique. En effet, vous noterez que, dans l'exemple précédent, l'infixe « an » est aussi un *préfixe*.

Dans certaines circonstances, on ajoute les lettres *a, e, i, o, u* et *certaines consonnes* aux différents radicaux pour faciliter la lecture et la prononciation du terme. Ces différentes lettres peuvent s'insérer, par exemple, entre deux radicaux, entre un préfixe et un radical ou encore entre un radical et un suffixe.

Exemple

- Arthr/**o**/scopie : Arthr : radical qui signifie articulation
  o : voyelle qui sert à faciliter la prononciation
  scopie : suffixe qui évoque un examen visuel.
- Aort/**o**/graphie : Aort : radical qui signifie Aorte
  o : voyelle qui sert à faciliter la prononciation
  graphie : suffixe qui évoque, entre autres, un examen à l'aide des rayons X.

■ ■ EN RÉSUMÉ

Terme générique	Emplacement de l'élément	Nom de l'élément	Exemple
Affixe	Devant le radical Après le radical	Préfixe Suffixe	*Hypo*gastre Col*ectomie*
Radical	Après un préfixe et/ou avant un suffixe		Oligo*ménorrhée*

ÉPONYME

Le terme éponyme réfère à l'Antiquité grecque (*epônumos* ou *empunomazô*), et signifie «personnage qui donne son nom à quelque chose». Dans le langage médical, on parlera d'éponymes pour désigner :

- certaines maladies : maladie de Hodgkin ;
- certaines techniques diagnostiques : test de Papanicolaou ;
- certaines techniques opératoires : opération de Wertheim ;
- certains instruments médicaux ou chirurgicaux : bougie de Hégar.

Certains de ces éponymes serviront de radicaux pour la formation de termes médicaux, comme *bartholinite,* terme issu du nom de Bartholin.

COMPARAISON DE MOTS

On peut comparer des mots en fonction de leur sens ou de leur prononciation.

Synonymes

Mots de signification identique ou de sens très voisin.

Exemple

Les termes *érythrocyte* et *hématie* sont des synonymes, les deux signifiant globule rouge.

Homonymes

Mots qui s'écrivent ou se prononcent de la même façon, sans avoir la même signification.

> **Exemple**
>
> Le terme *sans,* une préposition marquant la privation, l'exclusion, et le mot *sang,* un nom commun qui signifie le liquide qui circule à l'intérieur du corps humain.

Paronymes

Mots qui sont presque homonymes, mais dont la signification n'est pas la même.

> **Exemple**
>
> Le terme éruption désigne l'apparition sur la peau de taches rouges avec ou sans fièvre, alors que le mot irruption signifie, entre autres, une invasion brusque et violente ou une entrée de force dans un lieu public ou privé.

Antonymes

Mots de même nature mais dont les significations sont complètement opposées. On les appelle aussi des contraires.

> **Exemple**
>
> Le terme bénin qui veut dire, entre autres, non cancéreux et son antonyme le mot malin, qui signifie cancéreux.

SYMBOLES

Le symbole est un signe figuratif simple, qui peut représenter une idée, qui est son image, mais aussi un signe établi par une convention, comme les groupes de lettres servant à désigner les éléments chimiques.

> **Exemple**
>
> Le symbole chimique du sodium est par convention Na.

Technique d'analyse d'un terme médical

PREMIÈRE ÉTAPE Lisez le terme médical et divisez-le par des traits obliques pour bien séparer les différents radicaux et affixes.

DEUXIÈME ÉTAPE Déterminez, pour chacune de ces divisions, l'élément de base (préfixe, radical ou suffixe) et sa signification.

TROISIÈME ÉTAPE Inscrivez la définition complète du terme en tenant compte de la signification de chacun des éléments qui le composent.

QUATRIÈME ÉTAPE Vérifiez la définition trouvée dans le dictionnaire médical de votre choix, dans les glossaires contenus dans vos ouvrages de référence ou dans MonLab.

> **Exemples**
>
> **Hémicolectomie**
>
>   1   2   3
> Hémi/col/ectomie

1 *Hémi* : radical qui signifie « à moitié » ;
2 *col* : radical qui signifie « côlon » ;
3 *ectomie* : suffixe qui désigne une ablation chirurgicale.
Définition : Ablation chirurgicale de la moitié du côlon.

Hyperglycémie

1   2   3
Hyper / glyc / émie

1 *Hyper* : préfixe qui évoque une augmentation ;
2 *glyc* : radical qui signifie « glucose » ou « sucre » ;
3 *émie* : radical qui signifie « sang ».
Définition : Augmentation du taux de glucose dans le sang.

Tachypnée

1   2
Tachy / pnée

1 *Tachy* : préfixe qui signifie « accélération » ;
2 *pnée* : radical qui signifie « respiration ».
Définition : Accélération de la respiration.

Grâce à cette technique, vous comprendrez plus facilement la signification du terme médical, et vous n'aurez pas besoin de toujours recourir à un dictionnaire.

Le français appliqué au domaine médical

On peut donc former un terme médical en utilisant une combinaison de préfixes, de radicaux et de suffixes. Pour mieux le comprendre, on doit aussi appliquer les règles de la grammaire française.

L'ORTHOGRAPHE

En matière d'orthographe, le langage médical présente les difficultés communes à toute la langue française. Donc, pour connaître la bonne orthographe, vous devriez consulter systématiquement les dictionnaires médicaux, les glossaires contenus dans les ouvrages de référence ou MonLab.

LE TRAIT D'UNION

Vous noterez qu'en terminologie médicale, on utilise très souvent des traits d'union. Ils sont parfois nécessaires, parfois inutiles, et leur utilisation n'est pas toujours évidente. De plus, l'orthographe des termes peut varier selon le dictionnaire médical utilisé.

Actuellement, la tendance est à la suppression du trait d'union. Aussitôt qu'un terme médical devient d'usage courant, il n'a plus de trait d'union.

De façon générale, les deux principes suivants s'appliquent :

1er principe : Insertion du trait d'union

1.1 Entre deux éléments entiers et autonomes, par exemple les termes nouveau-né, sérum-albumine, virus-vaccin, etc. ;

1.2 Entre un nom propre et un autre radical ou un autre nom propre : Gram-négatif, syndrome de Turner-Albright ;

1.3 Entre un chiffre ou une lettre grecque et un radical, par exemple les termes alpha-1-antitrypsine, bêta-2-microglobuline;

1.4 Entre un sigle et un radical ou l'affixe: BCG-test, Strep-test;

1.5 Entre deux termes d'origine étrangère, par exemple check-up, grasping-reflex;

1.6 Dans les termes qui sont formés d'au moins trois racines, par exemple, nævo-endothélio-xanthome, thoraco-pleuro-pneumonectomie;

1.7 Entre des prépositions spécifiques (avant, contre, sous, sus) et un nom, par exemple avant-bras, contre-choc, sous-cutané, sus-apexien;

1.8 Entre deux voyelles, lorsqu'il faut les prononcer toutes deux, par exemple, génito-urinaire, gastro-entérologie, néphro-urétérectomie;

1.9 Entre deux voyelles identiques: anti-inflammatoire, salpingo-ovariectomie.

2ᵉ principe: Suppression du trait d'union

2.1 Lorsque le premier élément est une préposition qui joue le rôle de préfixe, par exemple: anté, en, rétro, par exemple, anténatal, encéphale, rétroflexion;

2.2 Lorsque le premier élément est terminé par une voyelle de liaison (le *o* en général), celle-ci assure, à elle seule, la soudure, par exemple, œsophagogastroplastie, neuropathologie, cardiovasculaire;

2.3 Après un préfixe qui se termine par une consonne: hypertension, interosseux;

2.4 À moins qu'il existe une exception, après l'élément *post,* si le radical qui suit débute par une voyelle, par exemple, postopératoire.

LE PLURIEL DES MOTS

Le pluriel suit les règles générales de la langue, c'est pourquoi vous devriez chercher dans un dictionnaire ou dans la grammaire de langue française de votre choix la bonne orthographe.

LE GENRE DES MOTS

Comme pour tous les autres mots de la langue française, il n'y a pas de règle générale qui permette de connaître le genre des mots. Cependant, on peut retenir les quatre principes suivants:

1. Les termes qui se terminent par un *e* muet sont généralement des noms féminins (à l'exception des termes en *isme,* comme alcoolisme, paludisme);

2. Les autres termes sont généralement masculins (à l'exception des termes qui finissent en *tion,* comme amputation);

3. Les termes suivants sont habituellement masculins:

    3.1 ceux qui désignent des os (à l'exception de quelques os, comme rotule, enclume);

    3.2 ceux qui désignent des muscles.

4. Les termes suivants sont habituellement féminins:

    4.1 ceux qui désignent des artères (à l'exception de certaines d'entre elles, comme le tronc cœliaque, l'arc aortique);

    4.2 ceux qui désignent des veines (à l'exception de celles qui débutent par le terme *sinus,* comme le sinus coronaire, le sinus caverneux).

LA PRONONCIATION DU *CH* DANS LE LANGAGE MÉDICAL

En terminologie médicale, l'élément *ch,* que l'on retrouve dans de nombreux mots d'origine grecque, se prononce le plus souvent comme un *k,* par exemple, psychiatrie, tachycardie, trachéostomie, etc.

Notez cependant que dans certains termes médicaux, comme chirurgie, chimiothérapie, etc., le *ch* se prononce comme dans le mot «chaton».

Utilisation de mots anglais

La langue médicale française a été envahie par de nombreux termes provenant de langues étrangères, notamment l'anglais. En effet, depuis 50 ans, la langue anglaise a énormément influencé la terminologie médicale française. Vous trouverez dans le **tableau 1.1** une liste non exhaustive de termes médicaux anglais souvent utilisés, qui ont un correspondant en français.

TABLEAU 1.1   LES TERMES ANGLAIS ET LEUR CORRESPONDANCE EN FRANÇAIS

Termes anglais	Termes français
Acid-Fast	Acidorésistant
Addiction	Dépendance (à l'égard d'une drogue) ou toxicomanie ou pharmacodépendance
Adhesion	Adhérence
Annexectomie	Salpingo-ovariectomie
Apical	Apexien
Balance acide-base	Équilibre acidobasique
Barotrauma	Barotraumatisme
Betablocker	Bêtabloquant
Birth control	Contrôle ou régulation des naissances
Bleb	Bulle ou vésicule
Brain death	Mort cérébrale
Bruise	Contusion
Bypass	Dérivation ou pontage
Cas borderline	Cas frontière ou limite (entre deux types de maladies)
Catheterization	Cathétérisme
Cauda equina syndrome	Syndrome de la queue de cheval
Cervix	Col
Check-up	Bilan ou examen de santé
Chest flail	Volet costal ou thoracique
Clapping	Claquade ou claquement
Clearance	Clairance
Clip	Agrafe
Crush injury	Luxation
Delirium	Délire
Dislocation	Luxation
Dumping syndrome	Syndrome de chasse (à la suite d'une gastrectomie)

Termes anglais	Termes français
Exenteration	Éviscération
Feedback	Rétroaction ou rétrocontrôle
Flap	Lambeau pédiculé pour greffe
Gait	Démarche
Gasp	Respiration agonique
Grasping-reflex	Réflexe de préhension
HPV	Papillomavirus humain
Impotence	Impuissance
Incus	Enclume
Influenza	Grippe
Invasive	Effractif ou envahissant
Jerk reflex	Contraction réflexe
Lifting (facial)	Rhytidectomie
Ligation	Ligature
Malunion	Cal vicieux
Monitoring	Monitorage
Non invasive	Non effractif ou non envahissant
Nucleus	Noyau
Nursing	Soins infirmiers
Nutriment	Aliment
Outflow	Débit
Output	Débit
Overdose	Surdose
Pacemaker	Stimulateur (cardiaque)
Packing	Tamponnement
Patch	Pièce ou plaque ou timbre
Peak flow	Débit de pointe
PET	Tomographie par émission de positrons
Planning familial	Planification familiale
Pool	Mélange ou masse commune ou réserve
Prescription	Ordonnance
Puerperium	Puerpéralité
Punch biopsy	Ponction biopsie
Rash	Érythème ou éruption
Scapula	Omoplate
Screening	Dépistage
Side effect	Effet secondaire (d'un médicament)
Spa	Station thermale
Spotting	Saignement léger
Stapes	Étrier

Termes anglais	Termes français
Status	État
Stretching	Étirement
Stripping	Éveinage ou phlébectomie
Tag	Lambeau ou marque ou marqueur
Tremor	Tremblement ou trémulation ou trépidation
Wheezing	Sifflement respiratoire
Whiplash injury	Coup de fouet cervical ou coup du lapin

Symboles chimiques fréquemment utilisés

On trouve souvent dans le langage médical des noms ou des symboles désignant des éléments chimiques, ce qui n'est pas étonnant, la médecine étant étroitement liée à la chimie, à la biologie et à la biochimie. Les symboles chimiques apparaissent donc un peu partout, de la physiologie aux examens de laboratoire, en passant par les traitements. Il suffit de penser aux exemples suivants :

- Des éléments chimiques entrent dans la composition du sang de façon naturelle ou accidentelle (calcium, potassium, sodium, mercure).
- Des éléments chimiques sont utilisés dans les examens d'imagerie médicale (lavement baryté [baryum], scintigraphie osseuse [gallium]).
- Des éléments chimiques font partie de certains traitements médicaux (oxygénothérapie [oxygène], curiethérapie [radium, iridium, césium]).

Dans les ouvrages, manuels et autres écrits, on utilise les symboles chimiques de chacun de ces éléments.

Le **tableau 1.2** donne la liste des éléments chimiques le plus fréquemment utilisés, accompagnés de leur symbole respectif.

TABLEAU 1.2   LES ÉLÉMENTS CHIMIQUES ET LEUR SYMBOLE

Éléments chimiques	Symboles chimiques	Éléments chimiques	Symboles chimiques	Éléments chimiques	Symboles chimiques
Aluminium	Al	Cuivre	Cu	Phosphore	P
Argent	Ag	Fer	Fe	Plomb	Pb
Azote	N	Fluor	F	Potassium	K
Baryum	Ba	Gallium	Ga	Radium	Ra
Béryllium	Be	Hydrogène	H	Sélénium	Se
Bismuth	Bi	Iode	I	Silicium	Si
Brome	Br	Iridium	Ir	Sodium	Na
Calcium	Ca	Lithium	Li	Soufre	S
Carbone	C	Magnésium	Mg	Technétium	Tc
Césium	Cs	Mercure	Hg	Thallium	Tl
Chlore	Cl	Nickel	Ni	Zinc	Zn
Chrome	Cr	Or	Au		
Cobalt	Co	Oxygène	O2		

Symboles fréquemment utilisés

Dans la terminologie médicale, mais surtout dans les dossiers de santé, l'utilisation de symboles est fréquente. En effet, lors de la rédaction des dossiers de santé, les professionnels de la santé utilisent très souvent des symboles au lieu d'écrire les termes en toutes lettres. C'est pourquoi il est très important de connaître la signification exacte de chacun de ces symboles afin de bien comprendre le dossier de santé.

TABLEAU 1.3 LES SYMBOLES ET LEUR SIGNIFICATION

Symboles utilisés	Signification	Symboles utilisés	Signification
↑	Augmentation	♀	Position debout
↓	Diminution	π	Pouls
♀	Femme	°C ou °F	Degré Celsius ou Fahrenheit
♂	Homme	#	Fracture
⊖	Négatif (résultat)	?	Peut-être ou probable
⊕	Positif (résultat)	→	Aboutit à…, entraîne…
# ou Nº ou nº	Numéro	⇒	Conséquence de…
±	Plus ou moins	↛	N'aboutit pas à…, n'entraîne pas…
∩	Avec	⇏	Non-conséquence de…
≅	À peu près ou environ	:	Rapport, ratio, relation
Ø	Nil ou pas de	Ψ	Psychiatrie, psychologie
<	Plus petit que	/	Quantité par, rapport, relation
≤	Plus petit ou égal à	≡	Normal
>	Plus grand que	X	Multiplié par, nombre de fois, chronique
≥	Plus grand ou égal à	∈	Cellule
=	Égal à	%	Concentration pour cent, pourcentage
2°	Secondaire à	Ω	Ohm
Δ	À changer ou à modifier ou diagnostic	Σ	Sigma, syndrome, somme
Δ'd	Changé ou modifié	č	Avec (cum)
○–	Position couchée	š	Sans
○͜	Position assise		

Quelques abréviations couramment utilisées

Les abréviations sont couramment utilisées dans le langage médical et c'est pourquoi nous avons cru bon de présenter au tableau ci-dessous une liste d'abréviations courantes. Cette liste n'est pas exhaustive, car la formation d'abréviations peut différer selon l'endroit et se décliner pratiquement à l'infini. De plus, la signification d'une abréviation peut être très différente selon le contexte dans lequel on l'utilise; par exemple, l'abréviation LSD signifie en toxicologie Lyserg Saure Diethylamid / Lysergic acid diethylamide (type de drogue), tandis qu'en pneumologie cette même abréviation veut dire Lobe supérieur droit du poumon. Comme la signification des abréviations ne fait pas l'unanimité, il faut être très prudent lorsqu'on essaie de les interpréter.

TABLEAU 1.4   LES ABRÉVIATIONS ET LEUR SIGNIFICATION

Abréviation	Signification
AA	Amygdalectomie et adénoïdectomie
aa	De chaque (*ante partes æquales*)
AAS	Acide acétylsalicylique
ac	Avant les repas (*ante cibum*)
ACP	Analgésie contrôlée par le patient
ad	Jusqu'à (*ad*)
AD	Oreille droite (*auris dextra*)
ad lib	à volonté (*ad libitum*)
AINS	Anti-inflammatoire non stéroïdien
AL	Oreille gauche (*auris laeva*)
AM ou am ou a.m.	Matin (*ante meridiem*)
amp	Ampoule
aq	Eau (*aqua*)
AS	Oreille gauche (*auris sinister*)
ASO	Artériosclérose oblitérante
AU	Chaque oreille (*auris uterque*)
AVAC	Accouchement par voie vaginale après césarienne
BAV	Bloc auriculoventriculaire
BEG	Bon état général
bid	Deux fois par jour (*bis in die*)
Bol. iv	Bolus intraveineux
bpm	Battements par minute
Ca	Cancer ou carcinome
CAE	Conduit auditif externe
CAI	Conduit auditif interne
caps	Capsule (*capsula*)
c. à s.	Cuillérée à soupe
c. à soupe	Cuillérée à soupe
c. à t.	Cuillérée à thé
c. à thé	Cuillérée à thé
cc	Centimètre cube
cc	Pendant le repas (*cum cibum*)
CD	Libération contrôlée (*controlled delivery*)
CEC	Circulation extracorporelle
ch	Chopine
CIVD	Coagulation intravasculaire disséminée
CMV	Cytomégalovirus
co	Comprimé

Abréviation	Signification
CPRE	Cholangio-pancréatographie rétrograde endoscopique
DC	Cesser (*discontinue*)
D&C	Dilatation et curetage
DDM	Date de la dernière menstruation
dil	Diluer
disc	Cesser (*discontinue*)
DPA	Date présumée ou probable de l'accouchement
dr	Drachme
ECG	Électrocardiogramme ou électrocardiographie
EEG	Électroencéphalogramme ou électroencéphalographie
élix	Élixir
EMG	Électromyogramme ou électromyographie
espr	Esprit
Fx	Fracture
GARE	Grossesse à risque élevé
gr	Grain
gte	Goutte
GVO	Garder la veine ouverte
HAT	Hystérectomie abdominale totale
HATSOB	Hystérectomie abdominale totale et salpingo-ovariectomie bilatérale
HBP	Hypertrophie ou hyperplasie bénigne de la prostate
HMA	Histoire de la maladie actuelle
hs	Au coucher (*hora somni*)
HVD	Hypertrophie ventriculaire droite
HVG	Hypertrophie ventriculaire gauche
ID ou id	Intradermique
I&D	Incision et drainage
IAM	Infarctus aigu du myocarde
IM ou im	Intramusculaire
IPD	(Articulation) interphalangienne distale
IPP	(Articulation) interphalangienne proximale
IR	Intrarectale (voie)
IRA	Insuffisance rénale ou respiratoire aiguë
IRC	Insuffisance rénale ou respiratoire chronique
IV ou iv	Intraveineuse
IVG	Interruption volontaire de grossesse
IVRS	Infection des voies respiratoires supérieures
LA	Longue action (*long action*)
lb	Livre
LCA	Ligament croisé antérieur

Abréviation	Signification
LCP	Ligament croisé postérieur
LED	Lupus érythémateux disséminé
LIO	Lentille intraoculaire
max	Maximum
MCAS	Maladie cardiaque artérioscléreuse
MSD	Membre supérieur droit
MSG	Membre supérieur gauche
MTS	Maladie transmise sexuellement
NG	Nasogastrique
NPO	Ne rien prendre par la bouche (*nil per os*)
NV	Nausées et vomissements
OAP	Œdème aigu du poumon
OD	Œil droit (*oculus dexter*)
OGD	Œsophago-gastro-duodénoscopie
ong	Onguent
ORL	Otorhinolaryngologie
OS	Œil gauche (*oculus sinister*)
OU	Chaque œil (*oculi unitas*)
OVT	Ordre verbal téléphonique
oz	Once
PA	Action prolongée (*prolonged action*)
PAC	Pontage aortocoronarien
PAR ou PR	Polyarthrite rhumatoïde
pc	Après les repas (*post cibum*)
per	Par
PERLA	Pupilles égales, réagissant à la lumière et à l'accommodation
PM ou pm ou p.m.	Après-midi (*post meridiem*)
PO ou po	Par la bouche ou voie orale (*per os*)
PRN ou prn	Au besoin (*pro re nata*)
PSA	Plaque simple de l'abdomen
Pt	Pinte
PTG	Prothèse totale du genou
PTH	Prothèse totale de la hanche
q	Chaque ou tous ou toutes (*quaque*)
qd	Tous les jours ou chaque jour (*quaque die*)
qh	Chaque heure ou toutes les heures (*quaque hora*)
q2h	Toutes les deux heures (*quaque dua hora*)
QI	Quotient intellectuel
qid	Quatre fois par jour (*quater in die*)
QSED	Quadrant supéroexterne droit

Abréviation	Signification
QSEG	Quadrant supéroexterne gauche
R	Prendre
RCR	Réanimation cardiorespiratoire
RDV	Rendez-vous
rect	Rectale (voie)
RGO	Reflux gastro-œsophagien
ROFI	Réduction ouverte et fixation interne
RTUP	Résection transurétrale de la prostate
RTUTV	Résection transurétrale d'une tumeur de la vessie
Rx	Ordonnance, traitement
RX	Rayons X
SAG	Sous anesthésie générale
SC ou sc	Sous-cutanée (voie)
sir	Sirop
SL	Sublinguale (voie)
SOB	Salpingo-ovariectomie bilatérale
SOD	Salpingo-ovariectomie droite
SOG	Salpingo-ovariectomie gauche
sol	Solution
SR	Libération continue (*sustained release*)
ss	Demi
stat	Immédiatement (*statim*)
SUD	Saignement utérin dysfonctionnel
supp	Suppositoire
susp	Suspension
teint	Teinture
tid	Trois fois par jour (*ter in die*)
TOC	Troubles obsessionnels compulsifs
TPP	Thrombophlébite profonde
TVO	Tenir la veine ouverte
Tx	Traitement
U	Unité
UI	Unité internationale
vag	Vaginale (voie)
VIH	Virus de l'immunodéficience humaine
VL	En vente libre
XL	Action très prolongée (*extreme long action*)

Symboles du système international (S.I.)

Dans la terminologie médicale, on retrouve souvent des symboles ou des unités de mesure provenant du système international. En effet, dans les dossiers de santé, les résultats d'examens diagnostiques sont souvent notés au moyen des unités de mesure de ce système. Vous trouverez dans le **tableau 1.5** une liste non exhaustive des principaux symboles utilisés dans ce système.

TABLEAU 1.5   LES SYMBOLES DU SYSTÈME INTERNATIONAL

Grandeurs	Noms des unités	Symboles
Travail	Joule	J
Température	Celsius	°C
Temps	Seconde	s ou sec ou ″
	Minute	mn ou min ou ′
	Heure	h (*hora*)
	Jour	j ou d (*die*)
	Année	a
Masse	Kilo[1]gramme	kg
	Gramme	g
	Milli[2]gramme	mg
	Micro[3]gramme	µg ou mcg
	Nano[4]gramme	ng
Volume	Litre	l
	Centi[5]litre	cl
	Millilitre	ml ou mL
	Microlitre	µl
Longueur	Mètre	m
	Mètre carré	m^2
	Centimètre	cm
	Millimètre	mm
	Micromètre	µm
	Nanomètre	nm
Concentration ionique	Milliéquivalent	mEq
Masse moléculaire	Picomole	pmol
	Millimole	mmol
	Micromole	µmol
Pression osmotique	Osmole	Osm
	Milliosmole	mOsm

1. Kilo : radical qui signifie mille
2. Milli : radical qui signifie millième
3. Micro : radical qui signifie millionième
4. Nano : radical qui signifie milliardième
5. Centi : radical qui signifie cent ou centième

Utilisation de l'alphabet grec

Comme les autres langues spécialisées ou vocabulaires, la terminologie médicale tire ses origines de différentes langues. Les deux plus importantes sont le grec et le latin.

Pour mieux comprendre de nombreux termes médicaux qui ont conservé certains éléments de l'alphabet grec, vous pouvez vous référer au **tableau 1.6**.

Outre les deux principales langues que nous venons de mentionner, d'autres ont également servi à la construction de termes médicaux, comme l'anglais, l'arabe, l'espagnol, etc. L'usage de ces dernières concerne toutefois des termes particuliers.

TABLEAU 1.6   L'ALPHABET GREC

Nom	Majuscule	Minuscule	Correspondance langue française
Alpha	A	α	a
Bêta	B	β	b
Gamma	Γ	γ	g
Delta	Δ	δ	d
Epsilon	E	ε	é
Dzêta	Z	ζ	z
Êta	H	η	ê
Thêta	Θ	θ	th
Iota	I	ι	i
Kappa	K	κ	k
Lambda	Λ	λ	l
Mu	M	μ	m
Nu	N	ν	n
Ksi	Ξ	ξ	x
Omicron	O	o	o
Pi	Π	π	p
Rhô	P	ρ	r
Sigma	Σ	σ	s
Tau	T	τ	t
Upsilon	Υ	ϑ	y
Phi	Φ	φ	ph
Khi	X	χ	kh
Psi	Ψ	ψ	ps
Oméga	Ω	ω	ô

EXERCICES DE RÉVISION

1. Répondez par **Vrai** ou **Faux** à chacune des deux questions suivantes :

   a) Le mot « infixe » est un terme général qui sert à désigner les différents éléments qui modifient le sens d'un radical :

   _____

   b) Lorsqu'une personne a donné son nom à une maladie ou à une technique opératoire, on parle d'un éponyme :

   _____

2. Indiquez le **genre** de chacun des termes suivants :

   a) Scalène (muscle) : _____

   b) Aorte : _____

   c) Péristaltisme : _____

   d) Phalange : _____

   e) Sternum : _____

3. Dites, pour chacun des termes médicaux suivants, s'ils s'écrivent avec ou sans trait d'union.

   a) Streppositif : _____

   b) Gastrointestinal : _____

   c) Dyspepsie : _____

   d) Maladie de TaySachs : _____

   e) Rétroversion : _____

   f) Salpingoovariectomie : _____

   g) Contreindication : _____

   h) Anatomopathologie : _____

   i) Sternocléidomastoïdien : _____

   j) Sousclavière : _____

4. Associez chacun des termes suivants à sa définition :

   a) Radical   ▢ Élément placé devant le radical d'un mot pour en modifier le sens

   b) Préfixe   ▢ Élément placé à la suite du radical pour en modifier le sens

   c) Suffixe   ▢ Élément qui désigne la racine d'un mot

5. Associez chacun des termes suivants à sa définition :

a) Synonyme   ▨ Mots de même nature et dont les significations sont à l'opposé

b) Antonyme   ▨ Mots qui se prononcent de la même façon, mais dont la signification est différente

c) Paronyme   ▨ Mots dont la signification est identique

d) Homonyme   ▨ Mots qui se ressemblent, mais dont les significations sont différentes

TESTEZ VOS CONNAISSANCES

MaBiblio > MonLab > Exercices > Ch01 > Questions vrai ou faux
> Questions à choix multiples

2

Lexique **étymologique**

Objectif pédagogique	Comprendre la formation des termes médicaux

Formation des termes médicaux

Ce chapitre se divise en deux sections. La première section comporte des listes se rapportant aux différents préfixes, radicaux et suffixes utilisés en terminologie médicale. Ces listes ne sont pas exhaustives, mais elles constituent un bon point de départ.

Présentées sous forme de tableaux, ces listes vous permettent de découvrir rapidement l'étymologie de certains termes médicaux, des indices vous donnant la possibilité d'en trouver la définition et quelques exemples illustrant les éléments mentionnés.

Des exercices pratiques, présentés à la fin de cette section, vous permettront de vérifier les connaissances acquises.

La deuxième section traite de termes médicaux qui ne contiennent aucun préfixe, radical ou suffixe. Ce sont donc des exceptions. Vous retrouverez ces différents termes sous la forme d'un exercice vous permettant d'associer la bonne définition au terme médical approprié.

TABLEAU 2.1 LISTE DES PRÉFIXES

Préfixes	Langue d'origine	Définitions	Exemples
A	Grec *a*	Absence de Manque de Perte Privation	Achromie Aphonie
Ab	Latin *ab*	Éloignement Loin de	Abduction
Ad	Latin *ad*	Près de Rapprochement Vers	Adduction
Am	Grec *am*	Absence de Manque de Perte Privation	Amnésie
An	Grec *an*	Absence de Manque de Perte Privation	Anémie Analgésie Analgésique
Ana	Grec *ana*	Avec De bas en haut En remontant Le contraire de Sur Vers le haut	Anastomose Anaphase Anatomie Anatoxine Anadémie Anaspadias

Préfixes	Langue d'origine	Définitions	Exemples
A			
Anté	Latin *ante*	Avant Devant	Anténatal Antépulsion
Antéro	Latin *anterior*	Avant Devant	Antérograde Antéro-latéral
Anti	Grec *anti*	Action contraire Le contraire de Opposition	Anticoagulant Anticonceptionnel
Apo	Grec *apo*	À l'écart de Contraire Dérivé de Éloignement Hors de Séparé de	Apomorphine Apocrine Apophyse
Archéo/Archi	Grec *archaios*	Ancien Très ancien	Archéocérébellum Archicortex
B			
Bi/Bin/Bis	Latin *bis*	Deux (fois)	Bilatéral Binoculaire Bisacromial
Brachy	Grec *brachys*	Brièveté Court Peu élevé	Brachyphalangie Brachypnée Brachymorphe
Brady	Grec *bradys*	Lent Lenteur Ralentissement	Bradycardie
C			
Cac	Grec *kakos*	Mauvais	Cacosmie
Cata	Grec *kata*	Décomposition Dégradation Chute Vers le bas	Catalyse Catabolisme Catatonie
Chron	Grec *khronos*	Temps	Chronicité Chronique
Circ	Latin *circum*	Alentour Autour de Cercle Dans le voisinage de	Circoncision Circumpilaire Circonflexe
Co/Col/Com/ Con/Cor	Latin *cum*	Avec Même	Congénital Consanguin
Contra/Contro	Latin *contra*	Contre Opposé à	Contraception Controlatéral
Crypt	Grec *kruptos*	Caché Dissimulé Inapparent	Cryptorchidie
D			
Dé	Latin *de*	Absence de Cessation Hors de Perte Privation	Décéder Défibrillateur Démence Déplétion Dépolarisation
Di	Grec *di*	Deux	Diplégie

D

Préfixes	Langue d'origine	Définitions	Exemples
Di / Dia	Grec *dia*	À travers Complet Intermédiaire Qui sépare	Diencéphale Diurèse Diaphragme Dialyse
Dis	Latin *distare*	Séparation Séparé de	Dissection
Dolicho	Grec *dolichos*	Allongé Long	Dolichocéphalie Dolichocôlon
Dys	Grec *dys*	Anomalie Difficulté Douloureux Gêne Trouble de	Dyskinésie Dyslexie Dystocie Dysphagie Dystrophie

E

Préfixes	Langue d'origine	Définitions	Exemples
É	Latin *e(x)*	En dehors Extérieur Externe Hors de	Énucléation Éviscération
Ec	Grec *ec/ek*	En dehors Extérieur Externe Hors de	Eccrine
Ecto	Grec *ektos*	En dehors Extérieur Externe Hors de	Ectoblaste Ectoderme
En	Grec *en*	À l'intérieur de Dans	Encéphale
Endo	Grec *endon*	À l'intérieur de Dans	Endocrine Endomètre
Ento	Grec *entos*	Dedans En dedans	Entozoaire
Épi	Grec *epi*	À la surface de Au-dessus de Extrémité Sur	Épiderme Épicondyle Épiphyse Épicarde
Eu	Grec *eu*	Bien Bon Normal	Euphorie Eupepsie Euthyroïdie
Ex	Latin *ex*	En dehors de Extérieur Externe Hors de	Exophtalmie
Exo	Grec *exô*	En dehors de Extérieur Externe Hors de	Exogène Exotropie

	Préfixes	Langue d'origine	Définitions	Exemples
E	Extra	Latin *extra*	À l'extérieur de En dehors de Hors de Supplémentaire	Extracorporel Extrasystole
H	Hyper	Grec *hyper*	Au-dessus Augmentation Exagération Trop	Hyperkaliémie Hypernatrémie Hypertension
	Hypo	Grec *hypo*	Au-dessous Diminution En moins Insuffisance	Hypocalcémie Hypocondre Hypothyroïdie
I	Im	Latin *im*	À l'intérieur Dans Négation	Implantation Immobile
	In	Latin *in*	À l'intérieur Dans Négation	Injection Indolore
	Inféro	Latin *inferior*	En dessous Plus bas	Inféro-interne
	Infra	Latin *infra*	En dessous Inférieur Sous	Infra-épineux Infrason
	Inter	Latin *inter*	Dans l'intervalle Entre Pendant	Interosseux
	Intra / Intro	Latin *intra*	À l'intérieur de Dans En dedans	Intra-abdominal Intraveineuse Introversion
J	Juxta	Latin *juxta*	Très près Très proche	Juxtaposition
M	Macro	Grec *macros*	Développement exagéré Grand Volumineux	Macrognathie Macrocéphalie Macrochilie
	Médio	Latin *medianus/medius*	Au milieu de Intermédiaire Moyen	Médiane Médiotarsien
	Méga	Grec *megas*	Géant Très grande taille	Mégacôlon Méga-uretère
	Mégal(o)	Grec *megalos*	Géant Très grande taille	Mégalencéphalie Mégaloblaste
	Més	Grec *mesos*	Au milieu de Intermédiaire Moyen	Mésencéphale Mésoderme
	Méta	Grec *meta*	Après Modification Postérieur Qui suit Transformation	Métacarpe Métaphase Métatarse Métastase Métabolisme

	Préfixes	Langue d'origine	Définitions	Exemples
M	Mono	Grec *monos*	Unique Un seul	Monoparental
	Multi	Latin *multum/multus*	Beaucoup En grand nombre Plusieurs	Multigeste Multinévrite Multiparité
N	Néo	Grec *neos*	Nouveau	Néonatal Néoplasie
O	Nulli	Latin *nullus*	Aucun	Nullipare
	Olig	Grec *oligos*	Petit Peu nombreux Rareté	Oligurie Oligophagie Oligoménorrhée
P	Omni	Latin *omnis*	Tout	Omnipraticien
	Paléo	Grec *paleos*	Âgé Ancien Antique Vieux	Paléocortex
	Pan	Grec *pan*	En entier Totalité Tout	Panchondrite Pancytopénie
	Para	Grec *para*	À côté de Au-delà Autour Au travers de Défectuosité Trouble	Paraclinique Parakinésie Paramastite Paracentèse Paracousie
	Pauci	Latin *paucum/paucus*	En petit nombre En quantité réduite Peu	Paucisymptomatique
	Per	Latin *per*	À travers Pendant	Percutané Peropératoire
	Péri	Grec *peri*	Autour de Qui entoure Tout autour	Péricarde Périnatalité
	Pico	Espagnol *pico*	Petit Petite (quantité)	Picornaviridæ
	Pollaki	Grec *pollakis*	Fréquemment Souvent	Pollakiurie
	Poly	Grec *polys*	Beaucoup Exagéré Plusieurs	Polydipsie Polyurie Polyarthrite
	Post	Latin *post*	Après Derrière Qui suit	Post-menstruel Postopératoire Post-partum
	Postér	Latin *posterius*	Qui vient après	Postérieur
	Pré	Latin *pre*	Avant Devant Qui précède	Préopératoire Présellaire

	Préfixes	Langue d'origine	Définitions	Exemples
P	Pro	Grec *pro*	Avant En avant Qui précède	Pronostic Propulsion Prophylaxie
	Pseud(o)	Grec *pseudês/pseudos*	Faux Similaire Trompeur	Pseudarthrose Pseudogène
R	Re/Ré	Latin *re*	Itératif	Rechute Récidive
	Rétro	Latin *retro*	En arrière Vers l'arrière	Rétropéritoine Rétroversion
S	Sous	Latin *sub*	En dessous En deçà Moins que	Sous-cutané
	Spanio	Grec *spanios*	Peu commun Rare	Spanioménorrhée
	Sub	Latin *sub*	En dessous En deçà Moins que Sous	Subaigu Subfébrile Subictère Sublingual
	Super	Latin *super*	Ajout Au-delà Au-dessus En plus Supérieur Sur	Superinfection Superinvolution Superfécondation
	Supra	Latin *supra*	Au-dessus Par-dessus Sur	Supra-épineux Suprahépatique Supramastite
	Sur	Latin *sur/sus*	Au-dessus En haut En plus Excès	Surrénale Surdose
	Sym/Syn	Grec *syn*	Avec Ensemble	Symphyse Syndactylie
T	Tachy	Grec *tachys*	Accélération Rapide	Tachycardie
	Trans	Latin *trans*	À travers Au-delà Par-delà	Transpéritonéal Transplantation
U	Ultim	Latin *ultimus*	Extrême Le dernier	Ultimal
	Ultra	Latin *ultra*	Après Au-delà de	Ultrason Ultraviolet

TABLEAU 2.2   LISTE DES RADICAUX

A

Radicaux	Langue d'origine	Définitions	Exemples
Abdomin	Latin *abdominis*	Abdomen Ventre	Abdominal
Acanth	Grec *akantha*	Épine	Acanthose
Acer	Latin *acer/aceris*	Acéré Aigu Piquant Vif	Exacerbation
Acétabul	Latin *acetabulum*	Acétabulum Cotyle	Acétabulaire
Acid	Latin *acidus*	Acide Aigre	Acidose
Acou	Grec *akouein/akousis*	Audition Entendre	Acoumétrie
Acro	Grec *akros*	Extrémité	Acromégalie
Acromio	Grec *akros* + *ômos*	Acromion	Acromioplastie
Actino	Grec *aktinos/aktis*	Rayon lumineux Rayonnement lumineux	Actinothérapie
Acu	Latin *acus*	Aiguille	Acupuncture
Adamanto	Grec *adamantos/adamas*	Diamant Émail (dentaire)	Adamantoblaste
Adelphe	Grec *adelphos*	Frère (sœur) Semblable	Adelphe
Adén	Grec *adên/adenos*	Ganglion Glande	Adénome Adénopathie
Adénoïd	Grec *adên* + *êides*	Végétations adénoïdes	Adénoïdectomie
Adip	Latin *adeps/adipis*	Graisse	Adipocyte Adiposité
Adjuv	Latin *adjuvo*	Aide	Adjuvant
Adrén	Latin *ad* + *ren*	Glande surrénale	Adrénaline
Aéro	Grec *aêr/aêros*	Air	Aérogastrie
Agglutin	Latin *agglutinare*	Coller à	Agglutination Agglutinine
Ago	Grec *ago/agôgos*	Agir Conduire Mener Pousser	Cholagogue Pédagogue
Agora	Grec *agora*	Endroit Lieu Place	Agoraphobie
Alb	Latin *albus*	Blanc (couleur)	Albinisme
Albugin	Latin *albugo*	Albuginée	Albuginite
Albumin	Latin *albus*	Albumine	Albuminurie
Alg	Latin *algidus/algus*	Froid Qui glace	Algide Algidité

A

Radicaux	Langue d'origine	Définitions	Exemples
Alien	Latin *alienus*	Contraire Égaré Étranger	Aliénation
Allant	Grec *allantos/allas*	En forme de boyau Saucisse Saucisson	Allantiasis Allantoïde
Allèl	Grec *allêlôn*	L'un l'autre Mutuellement	Allèle
Allerg(o)	Grec *allos + ergon*	Allergie	Allergène
Allo	Grec *allos*	Autre (personne)	Allogène Allogreffe
Allotrio	Grec *allotrios*	Étranger	Allotriodontie
Alvéol	Latin *alveolus*	Alvéole	Alvéolite
Amaur	Grec *amaurôsis*	Obscur	Amaurose
Ambi	Latin *ambi/ambo*	Les deux	Ambidextre
Ambly	Grec *amblus/amblys*	Affaibli	Amblyopie
Ambul	Latin *ambulare*	Marcher Se promener	Ambulatoire
Amib	Grec *amoïbaïos*	Amibe	Amibiase
Amnio	Grec *amnios*	Amnios (membrane)	Amniocentèse Oligohydramnios Polyhydramnios
Amphi	Grec *amphi*	Des deux côtés Double	Amphiarthrose Amphibie
Ampull	Latin *ampulla*	Ampoule	Ampullaire
Amygdal	Grec *amygdalê*	Amygdale	Amygdalectomie Amygdalite
Amyl	Grec *amulon*	Amidon	Amyloïde
An	Latin *anus*	Anus	Anal
Andro	Grec *andros/âner*	Homme Sexe masculin	Androgène Andropause
Anévrism	Grec *aneurusma*	Anévrisme ou anévrysme	Anévrismorraphie
Angéi/Angi	Grec *angéion*	Vaisseaux (sanguins ou autres)	Angéiologie Angiome
Ang	Grec *agchô/agchein/* *ankhô*	Étouffer Étrangler Serrer	Angine Angor Anti-angineux
Ankyl	Grec *agkulê/agkylê*	Frein Manque de mobilité	Ankyloglosse Ankylose
Ann	Latin *an/annus*	Année	Annuel
Annul	Latin *annulus*	Anneau	Annuloplastie
Anomal	Grec *anomalos*	Inégal Irrégulier	Anomalie

A

Radicaux	Langue d'origine	Définitions	Exemples
Anthra	Grec *anthrax*	Anthrax Charbon Noir (couleur)	Anthracoïde
Anthropo	Grec *anthrôpos*	Homme Race humaine	Anthropologie
Antr	Latin *antrum*	Antre Cavité	Antrite Antrotomie
Aort	Grec *aortê*	Aorte	Aortographie
Apex / Apic	Latin *apex/apicis*	Pointe du cœur (apex) Sommet	Apexien Apical
Aphér	Grec *aphaïrein/aphaïrésis*	Enlever Ôter Supprimer	Plasmaphérèse
Aponévr	Grec *aponeurôsis*	Aponévrose	Aponévrectomie
Appendic	Latin *appendere/ appendix*	Appendice	Appendicectomie Appendicite
Aqua	Latin *aqua*	Eau	Aqueduc (cérébral)
Arachno	Grec *arakhnê*	Araignée Arachnoïde	Arachnodactylie Arachnoïdite
Arc	Latin *arcus*	Arc Arcade Arche	Arcade sourcilière
Arche	Grec *arkhê*	Commencement Début Première fois	Ménarche
Aren	Latin *arena*	Sable	Arénation
Argent	Latin *argenteus/argentum*	Argenté Argent (couleur)	Argentaffine
Argyr	Grec *arguros/argyreos*	Argenté Argent (couleur)	Argyrisme
Arithmo	Grec *arithmos*	Nombre	Arithmomanie
Arom	Grec *aroma/aromatos* Latin *aromatum*	Aromate Arôme Épice	Aromathérapie
Artér	Grec *artêria*	Artère	Artériectasie Artérite
Arthr	Grec *arthron*	Articulation	Arthrite Arthrolyse Arthroscopie
Articul	Latin *articulation/articulus*	Articulation	Articulaire
Aryté	Grec *arutaïna*	Aiguière Forme pyramidale	Aryténoïde
Asc	Grec *askos*	Outre Sac	Ascite
Aster	Grec *astêr/asteros*	En forme d'étoile	Astérion
Asthmat	Grec *asthmaïnein*	Asthme	Asthmatique

A

Radicaux	Langue d'origine	Définitions	Exemples
Astro	Grec *astêr/asteros*	En forme d'étoile	Astrocyte
Atélé	Grec atêlês	Imparfait Incomplet	Atélectasie Atélencéphalie
Athér	Grec *athêrê* Latin *athera*	Athérome	Athérectomie
Atop	Grec *atopia*	Étrangeté	Atopie
Atrab	Latin *ter/atra*	Noirâtre (couleur)	Atrabile
Atrio	Latin *atrium*	Oreillette	Atriomégalie
Audio	Latin *audire/auditio*	Audition Entendre	Audiogramme
Auricul	Latin *auricula/auris*	Oreille Oreillette	Auriculaire Auriculoventriculaire
Auro	Latin *aureus/aurum*	Or (couleur) Doré (couleur)	Aurothérapie
Auto	Grec *utos*	Même Soi-même	Autogreffe
Axill	Latin *axilla*	Aisselle	Axillaire
Azot	Grec *a + zôè*	Azote	Azotémie
Bacill	Latin *bacillum/bacillus*	Bacille (en forme de petit bâton)	Bacillurie
Bactéri	Grec *baktêria*	Bactérie (en forme de bâton)	Bactéricide
Balan	Grec *balanos*	Gland (du pénis)	Balanite
Ballisto	Grec *ballizô* Latin *balista/ballista*	Agitation	Ballistocardiographe
Balné	Latin *balneum*	Bain	Balnéothérapie
Bar	Grec *baros*	Poids Pression	Barotraumatisme Hyperbare
Bartholin	*Nil*	Glande de Bartholin	Bartholinite
Basie	Grec *basis*	Marcher	Abasie
Baso	Grec *basis*	Couche basale (de l'épiderme)	Basocellulaire
Bathmo	Grec *bathmos*	Excitabilité	Bathmotrope
Bil	Grec *kholê* Latin *bilis*	Bile	Bilirubine Stercobiline
Bio	Grec *bios*	Vie	Biologie
Blaste	Grec *blastos*	Germe/Jeune cellule	Blastoderme/Érythroblaste
Blenno	Grec *blenna/blennos*	Mucus Muqueux	Blennorragie
Bléphar	Grec *blépharon*	Paupière	Blépharite Blépharochalasis
Bothrio	Grec *bothrion/bothros*	Fossette	Bothriocéphale
Botryo	Grec *botrys*	Grappe de raisins	Botryomycome
Botul	Latin *botulus*	Botulisme (boudin)	Botulique

B

B

Radicaux	Langue d'origine	Définitions	Exemples
Brachi	Grec *brakhiôn* Latin *brachialis/brachium*	Bras	Brachial
Brom	Grec *brômos*	Odeur désagréable Puanteur	Bromhidrose
Bronch	Grec *brogkhia/bronkhos*	Bronche	Bronchectasie Bronchodilatateur Bronchoscopie
Bryco	Grec *brukô*	Grincer (des dents)	Brycomanie
Bubon	Grec *boubôn*	Aine	Bubonocèle
Bucc	Latin *bucca*	Bouche	Buccal
Bulb	Latin *bulbus*	Bulbe	Bulbe rachidien
Burs	Latin *bursa*	Bourse	Bursite

C

Radicaux	Langue d'origine	Définitions	Exemples
Cæc	Latin *cæcum*	Cæcum	Iléocæcal
Calcane	Latin *calcaneus/calcis/calx*	Calcanéum (os du talon)	Calcanéite
Calci	Latin *calx*	Calcium	Hypocalcémie
Calic	Grec *kalux/kylix* Latin *calix*	Calice du rein	Calicectasie
Calli	Grec *kalos/kallos*	Beau Beauté	Calligraphie
Callo	Latin *callum*	Callosité Durillon	Callosité
Calor	Latin *calor/caloris*	Chaleur	Calorie
Calv	Latin *calva/calvus*	Chauve	Calvitie
Camér	Grec *kâmara*	Chambre (antérieure de l'œil)	Camérulaire
Camp	Latin *campus*	Champ visuel	Campimétrie
Campto	Grec *kamptos*	Courbé Penché Recourbé	Camptodactylie
Cancér(o)	Latin *cancer*	Cancer	Cancérogène
Cani	Latin *canus*	Blanc-gris (couleur)	Canitie
Capill	Latin *capillaris/capillus*	Cheveu	Capillarite
Capit	Latin *capitis/caput*	Tête	Sous-capitale
Capnie	Grec *kapnos*	Dioxyde de carbone	Hypercapnie
Capsul	Latin *capsula*	Capsule (articulaire)	Capsulorraphie
Caractéro	Grec *kharactêr* Latin *character*	Caractère	Caractérologie
Carbo	Latin *carbo/carbonis*	Carbone	Carbonique
Carcin	Grec *karkinos*	Cancer	Carcinogenèse
Cardi	Grec *kardia*	Cœur	Cardiologie Cardiomyopathie Cardioplégie
Cardia	Grec *kardia*	Cardia	Cardial
Carotid	Grec *karos*	Carotide	Carotidien

Radicaux	Langue d'origine	Définitions	Exemples
Carp	Grec *karpos*	Carpe (os du poignet)	Métacarpe
Cary	Grec *karuon*	Noyau (de cellule)	Caryolyse
Casé	Latin *caseum/caseus*	Fromage	Caséiforme
Caten	Latin *catena*	Chaîne	Caténaire
Cathi	Grec *kathizein*	Faire asseoir S'asseoir	Acathisie
Caud	Latin *cauda*	Partie inférieure du corps Queue	Caudal
Caulie	Grec *kaulos*	Pénis (verge)	Microcaulie
Caus/Caut	Grec *kausis*	Action de brûler Brûlure	Causalgie Cautérisation
Cav	Latin *cavus*	Cavité Creux	Cavum
Cavern	Anglais *cavern*	Caverne Corps caverneux	Caverneux Cavernographie
Cellul	Latin *cellula*	Cellule	Basocellulaire
Cément	Latin *cementum*	Cément	Cémentome
Centi	Latin *centi/centum*	Cent Centième	Centimètre
Centr	Latin *centrum*	Centre Milieu	Centrifuge
Céphal	Grec *képhalê*	Tête	Céphalée Encéphalite
Ceps	Latin *ceps*	Chef ou tête (d'un muscle)	Biceps
Cérébell	Latin *cerebellum*	Cervelet	Cérébelleux
Cérébr(o)	Latin *cerebrum*	Cerveau	Cérébral
Cervic	Latin *cervicis/cervix*	Col (utérin) Cou	Cervicite Carvicalgie
Cheil	Grec *kheilos*	Lèvre	Cheilite
Cheiro	Grec *kheir/kheiros*	Main	Cheiroplastie
Chél	Grec *khêlê*	Chéloïde (pince d'écrevisse)	Chéloïde
Chemo/Chimio	Grec *khêméia*	Chimie	Chémonucléolyse Chimiothérapie
Chiasm	Grec *khiasmos*	Chiasma	Chiasmatique
Chlamyd	Grec *khlamus*	Chlamydia	Chlamydiose
Chilo	Grec *kheilos*	Lèvre	Chiloplastie
Chimi	Grec *khêméia*	Agents chimiques	Chimiothérapie
Chir	Grec *kheir/kheiros*	Main	Chiromégalie Chirurgien
Chlor	Grec *khlôros*	Chlore Chlorure Vert (couleur)	Chlorémie Chloropénie Chloronychie
Choan	Grec *khoanôs*	Choanes (entonnoir)	Choanes

C

Radicaux	Langue d'origine	Définitions	Exemples
Chol	Grec *kholê*	Bile	Cholangiographie Cholécystite
Cholédocho	Grec *kholêdokhos*	Cholédoque (canal)	Cholédocholithiase
Cholestérol	Cholê + grec *sterros*	Cholestérol	Hypercholestérolémie
Chondr	Grec *khondros*	Cartilage	Chondrocalcinose Chondromalacie
Chord	Grec *khordê*	Corde (vocale) Cordon	Chordite Chordotomie
Choré	Grec *choréia*	Chorée	Choréiforme Choréique
Chorio	Grec *khorion*	Chorion Choroïde	Chorio-amniotite Chorio-rétinite
Choroïd	Grec *khorion*	Choroïde	Choroïdien
Chrom	Grec *khrôma / khrômatos*	Couleur Pigmentation	Chromatolyse Hyperchromie
Chron	Grec *khronos*	Temps	Chronicité Chronique
Chrys	Grec *chryseos / chrysos /* *khrusos*	Doré (couleur) Or (couleur)	Chrysothérapie
Chyl	Grec *khulos*	Chyle	Chyleux
Chym	Latin *chymos* Grec *khumos*	Chyme	Chyme
Cib	Latin *cibum*	Repas	Ante-cibum (ac)
Cinésie	Grec *kinêsis*	Mouvement	Acinésie Pharmacocinétique
Cirrh	Grec *kirros*	Roux (couleur)	Cirrhose (spécialement hépatique)
Cirso	Grec *kirsos*	Varice	Cirsocèle
Cisterno	Latin *cisterna*	Citerne (base du crâne)	Cisternotomie
Clado	Grec *klados*	Branche	Cladosporiose
Clast	Grec *klastos*	Briser Résorption	Ostéoclaste
Claustro	Latin *claustra / claustrum*	Endroit clos	Claustrophobie
Cléid	Grec *kleidion / kleidos / kleis*	Clavicule	Cléidectomie Sterno-cléido-mastoïdien
Climato	Grec *klima* Latin *clima*	Climat	Climatologie
Clin	Grec *klinê / klinein*	Coucher Incliner Lit	Clinique (examen) Clinodactylie Clinoïde
Clitorid	Grec *kleitoris*	Clitoris	Clitoridectomie
Clonie	Grec *klonos*	Agitation Mouvement tumultueux	Clonie Myoclonie
Coagul	Latin *coagulatio*	Coagulation	Coagulopathie

C

Radicaux	Langue d'origine	Définitions	Exemples
Coarct	Latin *coarctare*	Rétrécir Rétrécissement	Coarctation
Cocaïn	Espagnol *coca*	Cocaïne	Cocaïnomanie
Cocco	Grec *kokkos*	En forme de coque ou de petit grain	Coccobacille
Coccyg	Grec *kokkux*	Coccyx	Coccygodynie
Cochlé	Latin *cochlea*	Cochlée Limaçon	Cochléaire
Codéin	Grec *kôdéia*	Codéine	Codéinomanie
Cœli	Grec *koïlia*	Abdomen Cavité abdominale Ventre	Cœliochirurgie Cœlioscopie
Cogni	Latin *cognitio/cognoscere*	Connaissance Connaître	Cognitif Cognition Reconnaître
Col/Colon	Grec *kôlon*	Côlon	Colite Colonoscopie Hémicolectomie
Coll	Grec *colla*	Collagène Colloïde (gelée)	Collagénase Colloïdal
Color	Latin *color*	Couleur	Colorimétrie
Colpo	Grec *kolpos*	Vagin	Colposcopie
Coma	Grec *kôma*	Coma	Comateux
Con	Grec *kônikos* Latin *conus*	En forme de cône	Conisation
Concho	Grec *konkhê* Latin *concha*	Coquille Cornet (du nez)	Conchotomie
Condyl	Grec *kondulos/* *kondylos*	Condyle Renflement	Condylectomie
Confus	Latin *confusus*	Brouillé Qui n'est pas clair	Confusion
Coni	Grec *koniatos/konis*	Blanc (couleur) Poussière	Pneumoconiose
Conjonctiv	Latin *conjunctiva/conjunctus*	Conjonctive	Conjonctivite
Convert	Latin *conversio/convertere*	Modifier en tournant Transformer	Conversion
Convuls	Latin *convulsio*	Convulsion	Convulsivant
Coph	Grec *kôphos*	Sourd Surdité	Cophose
Copro	Grec *kopros*	Excréments Matières fécales	Coprologie Copromanie
Coque	Grec *kokkos*	En forme de coque ou de petit grain	Pneumocoque
Cor	Grec *korê*	Pupille	Coréoplastie
Cord	Latin *cor/cordis*	Cœur	Précordialgie

C

Radicaux	Langue d'origine	Définitions	Exemples
Cordo	Latin *chorda/corda*	Corde Cordon	Cordonal Cordon spermatique
Corné	Latin *corneus*	Cornée	Cornéen
Coron	Latin *corona*	Couronne	Coronaire Coronal
Coronar	Latin *corona*	Coronaire	Coronarien Coronarographie
Cortic	Latin *cortex/corticis*	Cortex	Cortical Corticospinal
Coryn	Grec *korunê*	Corynebacterium	Corynébactériose
Cost	Latin *costa*	Côte	Costectomie
Cotyl	Grec *kotulê/kotylê*	Acétabulum Cavité Cotyle Creux	Cotyloïde
Cox	Latin *coxa*	Hanche	Coxalgie
Crani	Grec *kranion*	Crâne	Craniectomie Craniotomie
Crén	Grec *krênê*	Eau (de source, thermale)	Crénothérapie
Crin	Grec *krinein/krinô*	Sécréter	Endocrinologie Exocrine
Crite	Grec *kritos*	Séparer	Hématocrite
Crot	Grec *krotos*	Battement	Dicrotisme
Cru	Latin *cruris/crus*	Cuisse	Crural Cruralgie
Cruci	Latin *crucis/crux*	En forme de croix	Cruciforme (ligament)
Cryo	Grec *kruos*	Froid	Cryochirurgie Cryothérapie
Cubi	Latin *cubitus*	Cubitus	Cubital
Cubit	Latin *cubare/cubitare*	Action de se coucher	Décubitus
Culdo	Latin *culus*	Cul-de-sac (de Douglas)	Culdocentèse Culdoscopie
Culi	Latin *culex*	Moustique	Culicidés
Cunéi	Latin *cuneus*	En forme de coin	Cunéiforme
Cupr	Latin *cuprum*	Cuivre	Cuprémie
Curie	*Nil*	Radium (Pierre et Marie Curie)	Curiethérapie
Cuspide	Latin *cuspidis/cuspis*	Pointe Valve Valvule	Cuspide (dentaire) Tricuspide
Cutan/Cuti	Latin *cutis*	Peau	Cutané Cutiréaction
Cyan	Grec *kuanos/yanos*	Bleu (couleur)	Cyanose
Cybern	Grec *kubernêtikê*	Art de gouverner	Cybernétique

C

Radicaux	Langue d'origine	Définitions	Exemples
Cyclo	Grec *kyklos*	Circulaire Rond	Cyclopie Cycloplégie
Cylindr	Grec *kulindros/kylindros*	Corps cylindrique Cylindre	Cylindrurie
Cyn	Grec *kynos/kuôn*	Chien	Cynique
Cyph	Grec *kuphos/kyphos*	Courbé en avant Courbure Voûté	Cyphose
Cyst	Grec *kustis/kystis*	Poche Sac Vésicule Vessie	Cystocèle Dacryocystite Cholécystite Cystite
Cyte	Grec *kutos/kytos*	Cellule Globule	Astrocyte Érythrocyte

D

Radicaux	Langue d'origine	Définitions	Exemples
Dacry	Grec *dakruon/dacryon*	Larme	Dacryocystite Dacryolithe
Dactyl	Grec *daktulos*	Doigt Orteil	Syndactylie Dactylomégalie
Dé	Latin *de*	Au dehors de En dehors de Hors de	Décollement placentaire Défécation
Déca	Grec *deca*	Dix	Décagramme
Déci	Latin *deci*	Dix	Décimètre
Déclin	Latin *declinare*	Détourner Incliner S'écarter S'éloigner	Décliner
Démo	Grec *dêmos*	Peuple	Démographie
Démono	Grec *daïmôn*	Démon	Démonomanie
Dendro	Grec *dendron*	En forme d'arbre	Oligodendrocytome
Dens/Densito	Latin *densus*	Dense Densité Épais	Ostéodensimétrie Tomodensitométrie
Dent	Latin *dens/dentis*	Dent	Dentome
Depress	Latin *depressio*	Dépression	Dépressif Maniaco-dépressif
Derm	Grec *derma*	Peau	Dermabrasion Radiodermite
Dermat	Grec *dermatos*	Peau	Dermatite Dermatologie
Desmo	Grec *desmos*	Lien Ligament	Desmopathie Desmosome
Deutér(o)	Grec *deuteros*	Deux Second	Deutéranope
Dextro	Latin *dexter*	Adroit À droite Droit	Dextrocardie Dextrogyre

D

Radicaux	Langue d'origine	Définitions	Exemples
Diabét	Grec *diabaïnein*	Diabète	Diabétique
Diaphragmat	Grec *diaphragma*	Diaphragme	Diaphragmatite
Diastol	Grec *diastellein/diastellô*	Dilatation Dilater Écarter Séparer	Diastole Diastasis
Didym	Grec *didymos*	Double Les deux Testicule	Épididyme
Diét	Grec *diaïta*	Diète Régime alimentaire	Diététique
Digiti	Latin *digitus*	Doigt	Digital
Dimidié	Latin *dimidium*	Moitié	Dimidié
Dipht	Grec *diphthéra*	Diphtérie (membrane)	Diphtérique
Dipl	Grec *diploos*	Deux Double	Diplocorie Diplopie
Dips	Grec *dipsa*	Soif	Polydipsie
Disc	Grec *diskos*	Disque	Discal
Dist	Latin *distare*	Éloigné	Distal
Diurn	Latin *diurnum/diurnus*	Jour	Diurne
Diverticul	Latin *diverticulum*	Diverticule	Diverticulite Diverticulose
Dors	Latin *dorsalis*	Dos	Dorsal
Drépano	Grec *drepanon*	En forme de faucille, de faux	Drépanocyte Drépanocytose
Drom	Grec *dromos*	Action de courir Course	Prodrome
Duction	Latin *ductio*	Mouvement	Abduction Adduction
Duodén	Latin *duodenum*	Duodénum	Duodénite Duodénoscopie
Dupl	Latin *duplex*	Deux Double	Duplication
Dur	Latin *durus*	Dur Dureté	Dure-mère
Dyn	Grec *dunamis*	Force	Dynamogène Dynamographe

E

Radicaux	Langue d'origine	Définitions	Exemples
Éburn	Latin *ebur*	Ivoire	Éburnation
Échino	Grec *ekhinos*	En forme de hérisson	Échinocyte
Écho	Grec *êchê/êkhô*	Bruit Écho Son	Échogène
Ectopie	Grec *ek + topos*	Hors de sa place normale	Grossesse ectopique
Ectro	Grec *ektro/ektrôô*	Absence congénitale de Arrêt de développement	Ectropodie Ectromèle

E

Radicaux	Langue d'origine	Définitions	Exemples
Élast	Grec *elastês/elastos*	Tissu ou fibre élastiques	Élastopathie Élastome
Élé	Grec *êlaïon*	Huile	Éléidome
Électro	Grec *êlektron*	Électricité	Électrocardiographie
Élytro	Grec *êlutron/êlytron*	Vagin	Élytrocèle
Embol	Grec *embolê/embolos*	Caillot sanguin	Embolectomie Embolie
Embryo	Grec *embruon/embryo*	Embryon	Embryologie
Émèse/Émét	Grec *emein/emesis/emetikos*	Vomir Vomissement	Antiémétique Hématémèse
Émie	Grec *aima/aimatos/haïma*	Sang	Hypercalcémie
Enn	Latin *an/annus*	Année	Triennal
Entér	Grec *entera/enteron*	Intestin	Entérite Entérostomie
Éosino	Grec *eôs*	Rosée (couleur)	Éosinophilie
Épendym	Grec *ependuma*	Épendyme	Épendymome
Épidémio	Grec *epidêmia*	Épidémie	Épidémiologie
Épididym	Grec *epi + diduma/didymos*	Épididyme	Épididymite
Épisio	Grec *epision*	Périnée	Épisiotomie
Épithéli	Grec *epi + thêlê*	Épithélium	Épithéliome
Équ	Latin *equus*	Cheval	Équinisme
Érect	Latin *erigere*	Érection	Érectile
Erg	Grec *ergon*	Activité Réaction Travail	Allergie Ergothérapie
Érot	Grec *erôticos/êrotos*	Amour	Érogène Érotomanie
Érythem	Grec *eruthêma*	Érythème (rougeur de la peau)	Érythémateux
Érythro	Grec *erythron*	Rouge (couleur)	Érythrocyte
Éso	Grec *êsô*	En dedans	Ésotropie
Esthésie	Grec *aïsthêsis/esthesis*	Sensation Sensibilité	Anesthésie Anesthésique
Éther	Grec *aithêr* Latin *æther*	Éther	Éthérisme
Ethmo	Grec *ethmos*	Ethmoïde Racine du nez	Ethmocéphale Ethmoïdite
Ethno	Grec *ethnos*	Peuple	Ethnologie
Éthyl	Grec *aithêr + ulê*	Alcool éthylique	Éthylisme
Étio	Grec *aïtia*	Cause	Étiologie
Extensio	Latin *extendere*	Étendre Extension	Extenseur

F

Faci	Latin *facies*	Face	Facial

	Radicaux	Langue d'origine	Définitions	Exemples
F	Falc	Latin *falx*	En forme de faux	Falciforme
	Fango	Italien *fango*	Boue	Fangothérapie
	Fasci	Latin *fascia* (bande)	Fascia	Fasciite
	Fébri	Latin *febris*	Fièvre	Fébrile
	Fécal	Latin *fæx*	Excréments Matières fécales	Fécaloïde Fécalome
	Fémor	Latin *femoris/femur*	Fémur	Fémoral
	Ferr	Latin *ferrum*	Fer	Ferritine
	Fibr	Latin *fibra*	Fibre	Fibrome
	Fixi	Latin *figere*	Fixer	Fixateur
	Flav	Latin *flavus*	Jaune (couleur)	Riboflavine
	Flexio	Latin *flectere/flexio*	Courber Plier	Flexion
	Fœto	Latin *fœtus*	Fœtus	Fœtopathie
	Follic	Latin *folliculus/follis*	Follicule	Folliculite
	Fongi	Latin *fungus*	Champignon	Antifongique
	Frig	Latin *frigidus/frigor/frigus*	Froid	Frigidité Frigorifique
	Front	Latin *frons/frontis*	Front	Frontal
	Fruct	Latin *fructus*	Fruit	Fructose
	Fuge	Latin *fugare/fugere*	Qui éloigne Qui fait fuir	Vermifuge
	Fund	Latin *fundus*	Fond	Fundoplicature
	Funicul	Latin *funiculus*	Cordon	Funiculite
	Fusc	Latin *fuscus*	Brun-noirâtre (couleur) Sombre	Fuscine
G	Galacto	Grec *gala/galaktos*	Lait Sécrétion lactée	Galactorrhée
	Gam	Grec *gamos*	Mariage Union	Monogamie Polygamie
	Gaméto	Grec *gametê/gametês*	Gamète	Gamétogenèse
	Gangli	Grec *gagglion*	Ganglion	Gangliectomie
	Gastr	Grec *gastêr*	Estomac	Gastrectomie Gastrite Gastrotomie
	Gel	Latin *gelare*	Congeler Geler	Engelure
	Gémell	Latin *gemellus*	Jumeau Jumelle	Gémellipare
	Gemmo	Latin *gemma*	Bourgeon	Gemmothérapie
	Gén/Géné	Grec *genos*	Gène Hérédité	Généticien

G	Radicaux	Langue d'origine	Définitions	Exemples
	Génit	Latin *genitus*	Engendrer Reproduction	Génital
	Génio	Grec *geneion*	Saillie mentonnière du maxillaire inférieur	Génioplastie
	Géno	Grec *genus* Latin *gena*	Joue	Génoplastie
	Genu	Latin *genu*	Genou	Genu valgum
	Géo	Grec *gê*	Sol Terre	Géophagie
	Gér	Grec *gêras*	Vieillard Vieillesse	Gériatrie
	Géronto	Grec *gerontos/gerôn*	Vieillard Vieillesse	Gérontologie
	Geste	Latin *gestare*	Grossesse Porter	Nulligeste
	Gig	Grec *gigas*	Géant	Gigantisme
	Gingiv	Latin *gingiva*	Gencive	Gingivite
	Glandul	Latin *glandula*	Glande	Glandulaire
	Glauc	Grec *glaukos*	Bleu-vert (couleur) Verdâtre	Glaucome
	Gli	Grec *glia/gloïos* Latin *glus/glutinum*	Glie	Gliome Névroglie
	Globine	Latin *globus*	Protéine	Hémoglobine
	Globul	Latin *globulus*	Globule	Polyglobulie
	Glom	Latin *glomus*	Glomus	Glomectomie
	Glomérul	Latin *glomus*	Glomérule	Glomérulonéphrite
	Gloss	Grec *glôssa/glôttis*	Langue	Glossoplégie
	Glotte	Grec *glôssa/glôttis*	Glotte	Épiglotte
	Gluc	Grec *glukus/glycys*	Glucose Sucre	Glucogenèse
	Gluté	Grec *gloutia* Latin *gluteus*	Fesse	Glutéal
	Glyc	Grec *glukus/glycys*	Glucose Sucre	Glycémie Hypoglycémiant Hypoglycémie
	Glyph	Grec *gluphê/glyphein*	Graver Gravure Tailler	Dermatoglyphe
	Gnathi	Grec *gnathos*	Maxillaire inférieur ou mâchoire	Prognathie Prognathisme
	Gon	Grec *gonu*	Genou	Gonarthrose
	Gonad	Grec *gonê*	Action d'engendrer Glande sexuelle	Gonadotrope
	Goni	Grec *gôna*	Angle Coin	Gonion Gonioscopie

	Radicaux	Langue d'origine	Définitions	Exemples
G	Grade	Latin *gradior*	Aller Va vers l'avant	Rétrograde
	Granul	Latin *granium/granulum*	En forme de petit grain Graine	Granulocyte
	Gravid	Latin *graviditas*	Gestation Grossesse	Gravidique (état)
	Greffe	Grec *graphis*	Greffe Implantation	Autogreffe
	Gueusie	Grec *geuein/geusis*	Goût Goûter	Agueusie
	Gust	Latin *gustare/gustatus/gustus*	Goût Goûter	Gustatif
	Gyn/Gynéco	Grec *gunaïkos/gunê*	Femme Sexe féminin	Misogynie
	Gyps	Grec *gupsos/gypsos*	Plâtre	Gypsothérapie
	Gyr	Grec *gyros*	Cercle Tourner	Lévogyre
H	Hallus/Hallux	Latin *gallicis/hallus/hallux*	Gros orteil	Hallux valgus
	Hapl	Grec *haplo/haplous*	Seul Simple	Haploïde
	Hapt	Grec *haptein/hapto*	S'attacher à Toucher à	Haptoglobine
	Hébé	Grec *ebê/hêbê*	Puberté	Hébéphrénie
	Hecto	Grec *ecaton/Hekaton*	Cent Centième	Hectogramme
	Hélio	Grec *elios/hêlios*	Rayon solaire Soleil	Héliothérapie
	Helminth	Grec *helmins*	Helminthes (vers)	Helminthologie
	Hémat	Grec *aimatos/aïma*	Sang	Hématophobie Hématurie
	Hémér	Grec *eméra/hêméra*	Jour Lumière	Héméralopie
	Hémi	Grec *hemi/hêmisus*	À moitié À demi	Hémiparésie
	Hémo	Grec *aima/aïma*	Sang	Hémoculture Hémogramme Hémolyse
	Hépar/Hépat	Grec *êpar/hêpar* Latin *hepatis*	Foie	Héparine Hépatectomie Hépatorraphie
	Hépatico	Grec *êpatikos/hêpatikos*	Canal hépatique	Hépaticoentérostomie
	Héréd	Latin *heres*	Hérédité	Héréditaire
	Herni	Latin *hernia*	Hernie	Herniorraphie
	Héroïn	Grec *hêros*	Héroïne	Héroïnomanie

H

Radicaux	Langue d'origine	Définitions	Exemples
Hétéro	Grec *eteros/heteros* Latin *hetero*	Autre Différent	Hétérosexuel
Hexa	Grec *hex*	Six	Hexadactylie
Hexie	Grec *hexis*	Disposition État du corps	Cachexie
Hidr	Grec *hidrôs*	Sueur	Hyperhidrose
Hil	Anglais *hilar* Latin *hilum*	Hile (pulmonaire)	Hilaire
Hippo	Grec *hippos*	Cheval	Hippothérapie
Hirud	Latin *hirudinis/hirudo*	Sangsue	Hirudinase
Histo	Grec *histos/istos*	Tissu	Histologie
Homéo	Grec *homœo/homoios/ omoios*	De même nature Semblable	Homéopathie
Homo	Grec *homos/homoios* Latin *homo*	De même nature Pareil Semblable	Homosexuel
Hormono	Grec *hormaô*	Hormone	Hormonothérapie
Humér	Latin *humerus*	Humérus	Huméral
Humeur	Latin *humor*	Liquide	Humeur vitrée
Hyal	Grec *hualos*	Corps vitré Verre	Hyalin
Hybrid	Grec *hubris* Latin *hybrida*	Fécondation Viol	Hybridation
Hydro	Grec *hudôr/hydor/hydratos*	Eau Liquide	Hydrocèle Hydrophobie
Hygro	Grec *hugros/hygros*	Humide Humidité	Hygrophobie
Hylo	Grec *hulê/hylê*	Matériau Matière	Hylognosie
Hymén	Grec *humen/ymên/ymenos*	Hymen (membrane)	Hyménectomie
Hypno	Grec *hupnos/hypnos*	Sommeil	Hypnose
Hypophys	Grec *hupo* + *phusis*	Hypophyse	Hypophysectomie
Hypso	Grec *hupsos/ypsos*	Hauteur Sommet	Hypsocéphalie
Hystér	Grec *hustéra/ystera*	Utérus	Hystérectomie Hystéroscope Hystéroscopie

I

Ichty	Grec *ichthyos/ichthys/ikhthus*	Poisson	Ichtyose
Icter	Grec *iktéros*	Ictère Jaunisse	Ictérique
Ictu	Latin *ictus*	Choc Coup	Ictus médullaire
Ide	Grec *ides/is* Latin *idis*	Manifestations d'une maladie	Syphilide

Radicaux	Langue d'origine	Définitions	Exemples
Idio	Grec *idios/idiôtês*	Isolé Particulier à Propre à	Idiopathique
Igni	Latin *ignis*	Feu	Ignipuncture
Ilé	Latin *ileum*	Iléon	Iléite
Ili	Latin *ilia*	Ilion Ilium (flanc)	Iliaque
Immun	Latin *immunis*	Immunité (exempt de)	Immunitaire Immunologie
Infundibul	Latin *infundibulum*	Entonnoir Infundibulum	Infundibuloplastie
Inguin	Latin *inguen*	Aine	Inguinal
Insul	Latin *insula*	Îlot (de Langerhans)	Insuline Insulinome Insulite
Intestin	Latin *intestina/intestinum*	Intestin	Intestinal
Irid	Grec *iridos/iris*	Iris	Iridectomie
Isch	Grec *iskhein*	Arrêter Empêcher Ischémie	Ischémique
Ischi	Grec *iskhion*	Ischion	Ischialgie
Iso	Grec *isos*	Égal	Isocorie
Iter	Latin *iterim*	De nouveau Répétition	Itération
Jargon	*Nil*	Langage	Jargonaphasie Jargonner
Jéjun	Latin *jejunus*	Jéjunum	Jéjunostomie
Jug	Latin *jugulus*	Jugulaires (veines)	Jugulogramme
Kali	Arabe *kali*	Potasse Potassium	Hypokaliémie
Kathiz	Grec *kathizein*	Faire asseoir S'asseoir	Akathisie
Kélo	Grec *kêlê*	Hernie	Kélotomie
Kento	*Nil*	Piqûre	Kentomanie
Kérat	Grec *keras/keratos*	Cornée Couche cornée de la peau	Kératite Kératoplastie Kératotomie
Kilo	Grec *khilioï*	Mille Millième	Kilogramme
Kinésie	Grec *kinêsis*	Mouvement	Akinésie
Koïlo	Grec *koïlôs*	Creux	Koïlonychie
Kyst	Grec *kustis*	Kyste	Kystectomie
Labi	Latin *labia*	Lèvre	Labial
Labyrinth	Grec *laburinthos*	Labyrinthe	Labyrinthite

L

Radicaux	Langue d'origine	Définitions	Exemples
Laco	Grec *lakkos*	Réservoir	Lacodacryocystostomie
Lacrym	Latin *lacryma*	Larme	Lacrymal
Lact	Latin *lac/lactis*	Lait	Lactation
Lag	Grec *lagôs*	Lièvre	Lagophtalmie
Lagnie	Grec *lagneia/lagneuein*	Coït	Algolagnie
Lalo	Grec *lalein/lalia*	Parler Parole	Lalopathie
Lamin	Latin *lamina*	Lame	Laminectomie
Laparo	Grec *lapara*	Abdomen Paroi abdominale Péritoine Région des lombes	Laparoscopie
Lapsus	Latin *labes/labi/lapsus*	Affaissement Chute	Prolapsus
Laryng	Grec *larunx*	Larynx	Laryngoscopie Laryngotomie
Latér	Latin *lateris/latus*	Côté	Bilatéral
Lécith	Grec *lekithos*	Lécithine	Lécithinase
Léio	Grec *léios*	Lisse	Léiomyome
Lenti	Latin *lenticula/lens*	Cristallin Lentille	Lenticulaire
Léon	Grec *léôn*	Lion	Léontiasis
Lépo	Grec *lepidos/lepis/lepos*	Écaille	Lépothrix
Lepsie	Grec *lambanein*	Arrêter Saisir Surprendre par l'arrivée	Analepsie Épilepsie
Lept	Grec *leptos*	Délicat Maigre Mince Mou	Leptoïde
Létal	Latin *letalis*	Mortel Qui cause la mort	Létalité
Leuco	Grec *leukos*	Blanc (couleur)	Leucocyte
Lévo	Latin *læva/lævus*	À gauche Gauche	Lévocardie
Ligament	Latin *ligamentum*	Ligament	Ligamentaire
Lign	Latin *lignum*	Bois	Ligneux
Limb	Latin *limbus*	Bordure Limbe	Limbique
Lingua	Latin *lingua*	Langue	Lingual
Lio	Grec *leios*	Lisse	Liomyome
Lip	Grec *lipos*	Graisse	Lipémie
Lith	Grec *lithos*	Calcul Pierre	Cholélithiase

L

Radicaux	Langue d'origine	Définitions	Exemples
Livid	Latin *lividus/livor*	Bleuâtre Livide Plombé	Livedo Lividité
Lob	Grec *lobos*	Lobe	Lobectomie
Logo	Grec *logos*	Discours Parler Parole	Logorrhée
Lomb	Latin *lumbi/lumbus*	Lombes Région lombaire	Lombalgie
Longi	Latin *longus*	Long	Longiligne
Lord	Grec *lordos*	Courbé Penché en avant	Lordose
Luc	Latin *lucis*	Brillant Clair Lumière Lumineux	Lucide
Lum	Anglais *lumen* Latin *luminis*	Lumière	Lumen Luminance
Lumb	Latin *lumbi/lumbus*	Lombes Région lombaire	Lumbago
Lup	Latin *lupus*	Lupus	Lupoïde
Luté	Latin *luteus*	Couleur jaune d'or	Lutéine Lutéinisation
Lyc	Grec *lukos*	Loup	Lycanthropie
Lymph	Grec *numphê* Latin *lympha/lymphe*	Lymphe	Lymphangite Lymphocyte
Lyss	Grec *lussa*	Rage	Lyssavirus

M

Radicaux	Langue d'origine	Définitions	Exemples
Macul	Latin *macula*	Tache	Macula Macule
Mal	Latin *mali/malus*	Mal Maladie	Maladif Malformation
Malléol	Latin *malleus*	Malléole	Malléolaire
Mamillo	Latin *mamilla*	Mamelon	Mamilloplastie
Mamm	Grec *mastos* Latin *mamma*	Glande mammaire Mamelle Sein	Mammographie
Mandibul	Latin *mandibula*	Mâchoire inférieure ou mandibule	Mandibulectomie
Mani	Latin *mania*	Folie Manie	Maniaque
Masso	Arabe *mass*	Massage	Massothérapie
Mast	Grec *mastos*	Glande mammaire Mamelle Sein	Mastite Mastopathie
Maxill	Latin *maxilla*	Mâchoire supérieure ou maxillaire	Maxillite

M

Radicaux	Langue d'origine	Définitions	Exemples
Méat	Latin *meatus*	Orifice (d'un conduit)	Méatotomie
Médiastin	Latin *mediastinum*	Médiastin	Médiastinotomie
Médull	Latin *medulla*	Moelle	Médullite
Mél	Grec *melos*	Membre	Mélalgie
Mél	Grec *meli* Latin *mel/mellis*	Miel (sucre)	Méliturie
Mélan	Grec *melaina*	Noir (couleur)	Méléna ou mélæna
Men	Grec *mên/mênos*	Menstruation Mois	Ménorragie
Méning	Grec *mêninx*	Méninge (membrane)	Méningiome Méningite
Ménisc	Grec *mêniskos*	Ménisque (croissant)	Méniscectomie
Menstr	Latin *menstrua/menstruus*	Menstruation Mensuel	Menstruel
Ment	Latin *mens/mentis*	Connaître Esprit Intelligence Penser	Mental
Mér	Grec *mêros*	Cuisse	Méralgie
Métallo	Grec *metallon* Latin *metallum*	Métal	Métallothérapie
Métop	Grec *metôpon*	Front	Métopique
Métr	Grec *mêtra*	Utérus	Endométriose Endométrite Métrite
Micro	Grec *micros*	Millième Petit Petitesse Retard de développement	Microgramme Microcéphalie Micrognathie Microcôlon
Mictio	Latin *mictio/mingere*	Action d'uriner Uriner	Miction
Mil	Latin *milium*	Grain de millet	Miliaire
Mill	Latin *mille/milli*	Mille Millième	Milligramme
Mimét	Grec *mimeisthai*	Qui imite	Corticomimétique
Miso	Grec *misein/misos*	Aversion Haine Répulsion	Misogynie
Mnès	Grec *mnasthaï/mnesis*	Mémoire Souvenir	Amnésie Anamnèse
Mobil	Latin *mobilis/movibilis*	Mobile Mobilité	Mobilisation
Mogi	Grec *mogis*	Avec peine Impossibilité Trouble	Mogilalie

	Radicaux	Langue d'origine	Définitions	Exemples
M	Molli	Latin *mollis*	Mou	Mollicutes Molluscum
	Morbid	Latin *morbidus/morbus*	Maladie	Morbide
	Morphin	Latin *Morpheus* (dieu du sommeil)	Morphine	Morphinomanie
	Mot	Latin *motus/movere*	Mettre en mouvement Mouvement Mouvoir	Motilité Motricité
	Muco	Latin *mucus*	Mucus	Mucoviscidose
	Mur	Latin *muris/mus*	Rat	Murin
	Muscul	Latin *musculus*	Muscle	Musculaire
	Muta	Latin *mutare/mutatio*	Changement Transformation	Mutation
	My	Grec *muein/myein*	Cligner Fermer à demi	Myopie
	Myc	Grec *mukês/mykês/mykêtos*	Champignon	Mycose
	Myél	Grec *muelos/myélos*	Moelle	Myélite Myélographie Ostéomyélite
	Myo	Grec *mus/myos/mys*	Muscle	Myocarde Myopathie Polymyosite
	Myria	Grec *myrias* Latin *myria*	Dix-mille	Myriapode
	Myringo	Latin *myringa*	Tympan	Myringotomie
	Mytho	Grec *muthos/mythos*	Fable	Mythomanie
	Mytil	Grec *mus/myos/mys/mytilos* Latin *mitilus/mytilus*	Moule (petit muscle)	Mytilisme
	Myxo	Grec *muxa/myxa*	Mucosité Mucus Muqueux	Myxorrhée
N	Næv	Latin *nævus*	Marque cutanée Nævus Tache	Nævus intradermique
	Nan	Grec *nanos*	Nain Petit Millionième Milliardième	Nanisme Nanogramme Nanomètre
	Narco	Grec *narkê*	Narcotique Sommeil Somnifère	Narcomanie
	Nas	Latin *nasus*	Nez	Nasal
	Nat	Latin *natus*	Naissance Né	Néonatalogie
	Natr	Grec *natron* Latin *natrium*	Sodium	Hypernatrémie

N

Radicaux	Langue d'origine	Définitions	Exemples
Nau	Grec *naus* Latin *nausea*	Envie de vomir Mal de mer	Naupathie Nausée
Navi	Latin *navicula/navis*	Navire Petit navire	Naviculaire (os)
Nécro	Grec *nekros*	Cadavre Corps mort	Nécrologie Nécropsie
Négat	Latin *negare*	Négation Nier	Négativisme
Néphr	Grec *nephros*	Rein	Hydronéphrose Néphrite
Nerv	Latin *nervus*	Nerf	Innervation
Nésidio	Grec *nêsidion*	Îlot	Nésidioblastome
Neur	Grec *neuron*	Nerf	Neurinome Neuropathie
Névr	Grec *neuron*	Nerf	Mononévrite Névralgie Polynévrite
Nitr	Grec *nitron*	Azote Nitrites	Nitroglycérine
Noc	Latin *nocere*	Nuire Nuisible	Nocuité
Noct	Latin *noctis/nox*	Nocturne Nuit	Noctambule
Nod	Latin *nodositas/nodosus/ nodus*	Nœud Nodosité	Nodal
Non	Latin *nona/nonanus/nonus*	Neuf Neuvième	Nonane (fièvre)
Noo	Grec *noos*	Connaître Esprit Intelligence Penser	Nootrope
Normo	Latin *norma*	Normal	Normochrome
Noso	Grec *nosos*	Maladie	Nosologie
Nostic	Grec *gnôsis*	Connaître	Pronostic
Noto	Grec *nôtos*	Dos	Notomèle
Nucl	Latin *nucleus*	Noyau (de cellule)	Nucléolyse
Nutr	Latin *nutrire*	Nourrir Nourriture	Nutriment Nutrition
Nyct	Grec *nux/nyktos/nyx*	Nocturne Nuit	Nycturie
Nystag	Grec *nustagmos/nustazein*	Nystagmus	Nystagmométrie

O

Radicaux	Langue d'origine	Définitions	Exemples
Obi	Latin *obire/obitus*	Mort Mourir	Obitoire
Obstétr	Latin *ob + stare*	Accouchement Grossesse	Obstétrical Obstétricien Obstétrique

O

Radicaux	Langue d'origine	Définitions	Exemples
Oct	Grec *octobre* Latin *octanus/octavus/octo*	Huit Huitième	Octane (fièvre)
Ocul	Latin *oculus*	Œil	Oculiste
Ocy	Grec *ôkus*	Prompt Rapide	Ocytocique
Odont	Grec *odontos/odous*	Dent	Odontalgie
Odor	Latin *odorare/odoratus*	Sentir Olfaction	Odorat
Œdém	Grec *oïdein/oïdêma*	Œdème	Œdémateux
Œso/Œsophag	Grec *oïsophagos*	Œsophage	Œsofibroscopie Œsophagoscopie
Œst	Grec *oïstros*	Œstrus	Œstrogène
Olécran	Grec *ôlekranon/ôlenê +* *karênon* ou *kranion*	Olécrâne (coude) Pointe du coude	Olécranalgie
Olfact	Latin *olfacere/olfactare/* *olfactus*	Odorat Flairer Humer	Olfactif
Olisthésis	Grec *olisthêsis*	Chute Glissement	Spondylolisthésis
Om/Omo	Grec *ômos*	Bras Épaule	Omarthrose Omoplate
Ombilic	Latin *umbilicus*	Nombril Ombilic	Ombilical
Oment	Latin *omentum*	Épiploon Omentum	Omentectomie
Omphal	Grec *omphalos*	Nombril Ombilic	Omphalocèle
Onco	Grec *onkos*	Cancer Masse Tumeur	Oncologie
Onir	Grec *oneiros*	Rêve Songe	Onirisme
Onto	Grec *on/ontos*	Être Individu	Ontogénie
Onycho	Grec *onux/onychos/onyx*	Ongle	Onychophagie
Oo	Grec *ôon*	Œuf Ovule	Oocyte
Oophor	Grec *ôophoros*	Ovaire	Oophorite
Ophi	Grec *ophis*	Serpent	Ophidisme
Ophtalm	Grec *ophthalmos*	Œil	Ophtalmologie Ophtalmomalacie Ophtalmoplégie
Opi	Grec *opion*	Opium	Opioïde
Opie	Grec *optomaï*	Vision Voir Vue	Hémianopie Hypermétropie Myopie

O

Radicaux	Langue d'origine	Définitions	Exemples
Opistho	Grec *opisthen*	Derrière En arrière Ensuite	Opisthotonos
Opo	Grec *opos*	Suc	Opothérapie
Opsie	Grec *opsis*	Vision Voir Vue	Hémianopsie
Opto	Grec *optikos*	Œil Vision Voir Vue	Optométrie
Or	Latin *oris*	Bouche	Oral Oropharynx
Orbito	Latin *orbita*	Orbite	Orbitotomie
Orchi	Grec *orkhis*	Testicule	Orchidopexie Orchite
Orexie	Grec *orexis*	Appétit Faim	Anorexie
Orig	Latin *originis/origo*	Origine	Original
Ornith	Grec *ornis/ornithos*	Oiseau	Ornithose
Ortho	Grec *orthos*	Correct Droit Normal	Orthodontie Orthopédie
Os(s)	Latin *ossum/os/ossis*	Os	Osselet
Oschéo	Grec *oskêos/oskhéon*	Scrotum	Oschéotomie
Osmie	Grec *osmê*	Odeur Odorat Olfaction Senteur	Anosmie
Osmo	Grec *ôsmos*	Action de pousser Osmose	Osmotique
Osphrésio	Grec *osphrêsis/osphrainô*	Odorat Olfaction	Osphrésiologie
Osté	Grec *ostéon*	Os	Ostectomie Ostéophyte Ostéoporose
Osti	Latin *ostium*	Orifice Ouverture Passage	Ostial
Ot	Grec *ôtos/ous*	Oreille	Otite Otorrhée
Ovar	Latin *ovarium*	Ovaire	Ovariectomie
Ovo	Latin *ovum*	Ovule	Ovocyte
Oxal	Grec *oxalis*	Acide oxalique	Oxalurie
Oxy	Grec *oxus/oxys*	Acide Aigu Oxygène	Oxyosmie Oxygénothérapie

O

P

Radicaux	Langue d'origine	Définitions	Exemples
Ozen	Grec *ozein*	Fétide Sentir mauvais	Ozène
Pachy	Grec *pakhudermos/pakhus*	Épais Gros	Pachydermie
Page	Grec *pageis*	Réunion Soudure Unir	Céphalopage
Palat	Latin *palatum*	Palais	Palatite
Pali/Palin	Grec *palin*	De nouveau Répétition	Palicinésie
Pall	Grec *pallein*	Secousse Vibration	Pallanesthésie
Palm	Latin *palma*	Paume	Palmaire
Palud	Latin *palus*	Paludisme	Paludologie
Pancréat	Grec *pankration*	Pancréas	Pancréatectomie
Papill	Latin *papilla*	Papille	Papillite
Papul	Latin *papula*	Papule	Papulose
Parasit	Grec *parasitos*	Parasite	Parasitologie
Pare	Latin *parere*	Accouchement Accoucher Enfanter	Nullipare
Parésie	Grec *paresis*	Paralysie légère	Hémiparésie Paraparésie
Pareunie	Grec *pareunos*	Accouplement	Dyspareunie
Parthéno	Grec *parthenos*	Vierge	Parthénologie
Partu	Latin *parturire/partus*	Accouchement Accoucher Enfanter	Parturition
Parvo	Latin *parvus*	Petit	Parvoviridés Parvovirus
Patell	Latin *patella*	Rotule	Patellectomie
Patho	Grec *pathos*	Maladie Souffrance	Pathologie
Pause	Grec *pausis*	Arrêt Cessation	Ménopause
Pector	Latin *pectoris/pectus*	Poitrine	Pectoral
Péd	Grec *païdos/païs*	Enfant	Pédiatrie
Péd	Latin *ped/pedis*	Pied	Pédieux
Pédicul	Latin *pediculus*	Pou	Pédiculose
Pèle	Grec *pella* Latin *pellis*	Peau	Érysipèle
Pelvi	Latin *pelvis*	Bassin (petit) Cavité pelvienne	Pelvimétrie
Pélyco	Grec *pelukos/pelycos/pelux/pelyx*	Bassin Cavité pelvienne	Pélycoscopie

P

Radicaux	Langue d'origine	Définitions	Exemples
Pemphi	Grec *pemphix*	Bulle	Pemphigoïdes Pemphigus
Péni	Latin *penis*	Pénis	Pénien
Penta	Grec *penta/penté*	Cinq	Pentasomie
Pepsie	Grec *pepsis*	Digestion	Dyspepsie
Pept	Grec *peptos*	Digestion	Peptique
Périné	Grec *perineos* Latin *perineum*	Périnée	Périnéorraphie
Périton	Grec *peritonaios/peri + teinein* Latin *peritoneum*	Péritoine	Péritonite
Péron	Grec *peronê*	Péroné	Péronière
Pète	Latin *petere*	Chercher à atteindre Se diriger vers	Centripète
Pétro	Grec *petra* Latin *petra/petrosus*	Rocher (os temporal)	Pétrosite
Phaco/Phakie	Grec *phakos*	Cristallin Lentille	Aphakie Phacomalacie
Phag	Grec *phagein*	Manger	Macrophage Onychophagie
Phalang	Grec *phalanx*	Phalange	Phalangectomie
Phall	Grec *phallos*	Pénis	Phallique
Phanér	Grec *phaneros*	Apparent Phanères	Phanères
Pharmac	Grec *pharmakon*	Médicament	Pharmacologie
Pharyng	Grec *pharunx/pharynx*	Pharynx	Pharyngite
Phas	Grec *phasis*	Langage Parole	Dysphasie
Phase	Grec *phasis/phainesthai*	Faire paraître Paraître Partie homogène d'un système	Télophase
Phem	Grec *phêmê/phêmi*	Parole	Dysphémie
Phén	Grec *phaïnein*	Apparent Faire voir Impression Manifestation Sensation	Acouphène Phénotype
Phéo	Grec *phaïos*	Brun (couleur)	Phéochromocytome
Phléb	Grec *phlebos/phlebs/phleps*	Veine	Phlébite Phlébographie
Phlegm	Grec *phlegein/phlegmonê/* *phlegô*	Phlegmon	Phlegmasie
Phoco	Grec *phôkê*	Phoque	Phocomélie
Phon	Grec *phonê/phonein*	Son Voix	Cacophonie Orthophonie

P

Radicaux	Langue d'origine	Définitions	Exemples
Phore / Phorie	Grec *pherein/phoros*	Comportement Porter Se comporter	Dysphorie Euphorie Galactophore
Phorèse	Grec *phorein*	Direction Migration	Diaphorèse Électrophorèse
Phospho	Grec *phôs* + *pherein*	Phosphore	Phosphorémie
Photo	Grec *phôs/phôtos*	Lumière	Photophobie Photothérapie
Phrén	Grec *phrên/phrenos*	Diaphragme Esprit Intelligence	Oligophrénie Phrénique Schizophrénie
Phryno	Grec *phrynos*	Crapaud	Phrynodermie
Phtisi	Grec *phthisis*	Tuberculose pulmonaire	Phtisiologie
Phylaxie	Grec *phulaxis/phylaxis*	Défense Prévention Protection	Prophylaxie
Phyllo	Grec *phullon/phyllon*	Feuille	Phyllode
Phylo	Grec *phulê/phylon*	Espèce Tribu	Phylogenèse
Phyma	Grec *phyma*	Excroissance Tumeur	Rhinophyma
Phys	Grec *phusis*	Formation	Épiphyse
Physio	Grec *phusis*	Agents physiques naturels ou artificiels	Physiothérapie
Piéz	Grec *piezein/piezo*	Accabler Écraser Pression Serrer	Piézographe
Pil	Latin *pilus*	Poil	Pilo-sébacé
Pin	Latin *pinea*	En forme de pomme de pin	Pinéale (glande)
Piri	Latin *pirum*	Poire	Piriforme
Pisi	Latin *pisum*	Pois	Pisiforme
Pithi	Grec *peithô*	Persuasion	Pithiatique
Pituit	Grec *pituita*	Glande pituitaire Mucosité Muqueuse	Pituitarien Pituite
Pityr	Grec *pituron/pityron*	Pityriasis	Pityriasis simplex
Placent	Latin *placenta*	Placenta	Placentation Placentite
Plant	Latin *planta*	Plante du pied	Plantaire
Plasie	Grec *plasis*	Développement Formation	Anaplasie Néoplasie
Plasm	Grec *plasma/plassein*	Plasma	Plasmaphérèse
Platy	Grec *platus/platys*	Plat et large	Platyspondylie

P	Radicaux	Langue d'origine	Définitions	Exemples
	Plégie	Grec *plêssein*	Paralysie	Hémiplégie Paraplégie
	Pléio	Grec *pleiôn*	En plus Grande abondance Plus nombreux	Pléiocytose
	Pléo	Grec *pleiôn*	En plus Grande abondance	Pléocytose
	Plésio	Grec *plêsiazein/plêsios*	Dans le voisinage Voisin de	Plésiocrinie
	Pléth	Grec *plêthein*	Accroissement Être plein Obésité	Pléthore
	Pléthysmo	Grec *plêthein/ plêthusmos/ plêthysmos*	Accroissement Augmentation Multiplication Volume	Pléthysmographie
	Pleur	Grec *pleura/pleuron*	Plèvre	Pleurésie Pleurodynie
	Plex	Latin *plexus*	Plexus (entrecroisement)	Plexectomie
	Pluri	Latin *plures*	Plusieurs	Pluriadénomatose
	Pnée	Grec *pnein*	Respiration Respirer	Apnée Dyspnée
	Pneumat/ Pneumo	Grec *pneumon*	Poumon	Pneumologie
	Pneumat/ Pneumo	Grec *pneuma*	Air Gaz	Pneumothorax
	Podo	Grec *podos/pous*	Pied	Podologie
	Poïkilo	Grec *poikilos*	Varié	Poïkilocytose
	Polio	Grec *polios*	Gris (couleur)	Poliomyélite
	Polyp	Grec *polus*	Polype	Polypectomie
	Pond	Latin *pondus*	Poids	Pondéral
	Por	Grec *poros*	Cavité Chemin Voie	Porencéphalie
	Porphyr	Grec *porphura/porphyreos*	Pourpre (couleur) Porphyrine	Porphyrinurie
	Poso	Grec *poson*	Combien Dose Quantité	Posologie
	Posthe	Grec *posthê*	Prépuce	Posthite
	Pot	Grec *potos*	Boisson Boire	Potable Potomanie
	Prandi	Latin *prandium*	Repas	Post-prandial
	Praxie	Grec *praxis*	Action Exécution Manière d'agir	Apraxie

P

Radicaux	Langue d'origine	Définitions	Exemples
Préput	Latin *præputium*	Prépuce	Préputial
Presby	Grec *presbus/presbys*	Âgé Ancien Vieux	Presbytie
Prim	Latin *primo/primus*	Premier	Primigeste Primipare
Prive	Latin *privere*	Priver de	Ferriprive
Proct	Grec *prôktos*	Anus	Proctalgie
Proprio	Latin *proprius*	Propre à Qui appartient à	Propriocepteur
Prosop	Grec *prosôpon*	Face Visage	Prosopalgie
Prostat	Grec *prostatês* Latin *prostata*	Prostate	Prostatectomie
Protéin	Grec *prôtos*	Protéine	Protéinorachie
Proto	Grec *prôto/prôtos*	Au début Premier Primitif	Protosystole
Proxim	Latin *proximus*	Le plus proche Très près	Proximal
Psoro	Grec *psôra/psôros*	Gale Rêche Rugueux	Psoriasis
Psych	Grec *psukhê/psykhê*	Âme Esprit Pensée	Psychologie Psychose
Psychro	Grec *psukhros/sykhros*	Froid	Psychrothérapie
Ptéryg	Grec *pterux/pterygos/pteryx*	Aile	Ptérygoïde
Ptoma	Grec *ptoma/ptomatos*	Cadavre Mort	Ptomaphagie
Ptyal	Grec *ptualos/ptyalon*	Salive	Ptyalisme
Pubi	Latin *pubes*	Pubis	Pubiotomie
Puéri	Latin *puer/pueri*	Enfant	Puériculture
Puerpér	Latin *puerpera*	Accouchée Post-partum Relatif à l'accouchement	Puerpéral
Pulmo	Latin *pulmo/pulmonis*	Poumon	Pulmonaire
Puls	Latin *pellere/pulsus*	Pouls	Pulsatile
Pulv	Latin *pulvis*	Poussière	Pulvérisation
Puncture	Latin *punctura*	Implanter des aiguilles Piqûre	Acupuncture
Pupill	Latin *pupillo*	Pupille	Pupillométrie
Purpur	Latin *purpura/purpureus*	Pourpre (couleur) Purpura	Purpura thrombopénique

	Radicaux	Langue d'origine	Définitions	Exemples
P	Putr	Latin *putridus*	Décomposition Pourri	Putréfaction
	Py	Grec *puon/pyon*	Pus	Pyothorax Pyurie
	Pycn	Grec *puknos/pyknos*	Compact Force Fréquence	Pycnique Pycnoépilepsie
	Pyél	Grec *puelos/pyelos*	Bassinet ou cavité du rein	Pyélographie
	Pylor	Grec *pulôros*	Pylore	Pyloroplastie
	Pyrét	Grec *puretos/pyretos*	Chaleur Fièvre	Pyrexie
	Pyro	Grec *pur/pyr/pyros*	Rouge feu (couleur) Feu	Pyromanie
Q	Quadr	Latin *quadri/quatuor*	Quatre	Quadriplégie
	Quart	Latin *quartus*	Quatre Quatrième	Quarte (fièvre)
	Quasi	Latin *quasi*	À peu près Comme si	Quasi-certitude
	Quinqu	Latin *quinque*	Cinq	Quinquagénaire
	Quint	Latin *quintus*	Cinq Cinquième	Quintane (fièvre)
R	Rachi	Grec *rhakhis*	Colonne vertébrale Épine dorsale Rachis	Rachialgie
	Radi	Latin *radius*	Radius	Radial
	Radic	Latin *radicis/radix*	Racine nerveuse	Radiculalgie
	Radio	Latin *radius*	Rayon	Radiographie
	Rago	Grec *ragos/rax/rhagos/rhax*	Grain de raisin	Ragocyte
	Rami	Latin *ramex/ramicis/ramus*	Branche	Ramicotomie
	Rect	Latin *rectum/rectus*	Rectum	Rectocèle Rectorragie
	Rén	Latin *ren*	Rein	Rénal Surrénalectomie
	Respirat	Latin *respirare*	Respiration	Respiratoire
	Réticul	Latin *reticulum/reticulus*	Filet Réseau	Réticulite Réticulo-endothélial (tissu)
	Rétin	Latin *rete*	Rétine	Rétinopathie
	Rhabdo	Grec *rhabdos*	Raie Strie Strié	Rhabdomyome
	Rhéo	Grec *rhein/rheô*	Écoulement	Rhéologie
	Rhino	Grec *rhinos/rhis*	Nez	Rhinoplastie Rhinorrhée
	Rhizo	Grec *rhiza*	Racine	Rhizotomie

R

Radicaux	Langue d'origine	Définitions	Exemples
Rhodo	Grec *rhodon*	Rose (couleur)	Rhodopsine
Rhoncho	Grec *rhonkhos*	Ronflement	Rhonchopathie
Rhumat	Grec *rheuma*	Rhumatisme	Antirhumatismal Rhumatologie
Rhytid	Grec *rhutidos/rhutis*	Ride	Rhytidectomie
Ros	Latin *roseus*	Rose (couleur)	Roséole
Rotul	Latin *rotula*	Rotule	Rotulien
Rubé	Latin *ruber/rubeus*	Rouge Rougeâtre	Rubéole
Rubig	Latin *rubigo*	Rouille (couleur)	Rubigineux
Rup	Grec *rupos*	Crasse	Rupia
Rythm	Grec *rhuthmos/rythmos*	Rythme	Antiarythmique Arythmie

S

Radicaux	Langue d'origine	Définitions	Exemples
Sacchar	Grec *sakkharon* Latin *saccarum*	Saccharose Sucre	Saccharosurie
Saccul	Latin *sacculus*	Petit sac	Sacculaire
Sacr	Latin *sacrum*	Sacrum	Sacralgie
Sagitt	Latin *sagitta*	Flèche	Plan sagittal
Sal	Latin *sal/salis*	Sel	Salidiurétique
Salping / Salpinx	Grec *salpingos/salpinx*	Trompe (de Fallope ou utérine)	Salpingectomie Salpingite
Sanit	Latin *sanitas*	Santé	Sanitaire
Sapo	Latin *sapo*	Savon	Saponification
Sapro	Grec *sapros*	Putride	Saprophyte
Sarc	Grec *sarcos/sarx*	Chair Muscle Tissu	Sarcome
Saturn	Latin *Saturnus* (nom d'un dieu)	Plomb	Saturnisme
Scabi	Latin *scabies*	Gale	Scabieux
Scalen	Grec *skalênos*	Muscle scalène	Scalénotomie
Scaph	Grec *skaphê/skaphos* Latin *scapha*	Barque	Scaphocéphalie Scaphoïde
Scapul	Latin *scapula*	Épaule Omoplate	Scapulalgie
Scarlat	Latin *scarlatum*	Rouge écarlate (couleur)	Scarlatine
Scat	Grec *skatos/skôr*	Excréments Matières fécales	Scatome
Schizo	Grec *skhizô*	Division	Schizophrénie
Sclér	Grec *sklêros*	Sclérotique	Sclérite
Sclér	Grec *sklêrotes*	Dur Épaississement Induration	Artériosclérose

S	**Radicaux**	**Langue d'origine**	**Définitions**	**Exemples**
	Scoli	Grec *skolios*	Courbe Courbure Déviation Sinueux Tortueux	Scoliose
	Scot	Grec *skotos*	Obscurité Ténèbres	Scotome
	Scribo	Latin *scribere*	Écrire	Scribomanie
	Scrot	Latin *scrotum*	Scrotum	Scrotal
	Séb	Latin *sebum*	Sébum	Sébacé Séborrhée
	Secund	Latin *secundus*	Second	Secundipare
	Sell	Latin *sella*	Selle (turcique)	Sellaire
	Semen	Latin *semen*	Semence Sperme	Séminome
	Semi	Latin *semi*	À demi À moitié	Semi-lunaire
	Sémin	Latin *semen*	Semence Sperme	Séminome
	Sémio	Grec *sêmeion*	Signe	Sémiologie
	Séni	Latin *senex/senilis*	Sénilité	Sénile
	Sepsie	Grec *sêptikos*	Infection Microbe	Asepsie
	Sept	Latin *septum*	Cloison Septum	Septoplastie
	Sept	Latin *septem*	Sept Septième	Septuplés
	Septi/Septic	Grec *sêptikos*	Infection Microbe	Aseptique Septicémie
	Séro	Latin *serum*	Sérum	Sérologie
	Sex	Latin *sexus*	Sexe Sexualité	Asexué
	Sext	Latin *sextus*	Six Sixième	Sextuplés
	Sial	Grec *sialon*	Salive	Sialolithe Sialorrhée
	Sidéro	Grec *sidêros*	Fer	Sidéropénie
	Sigmoïd	Grec *sigma*	Sigmoïde (côlon)	Sigmoïdectomie
	Simili	Latin *similis*	Semblable	Similaire
	Sinistr	Latin *sinister*	Gauche Sinistre	Sinistrocardie Sinistrose
	Sinus	Latin *sinus*	Cavité Sinus	Sinusite
	Sismo	Grec *seismos*	Choc Secousse	Sismothérapie

	Radicaux	Langue d'origine	Définitions	Exemples
S	Skel	Grec *skelos*	Jambe Membre	Microskélie
	Skia	Grec *skia*	Ombre	Skiascopie
	Sol	Latin *sol*	Soleil	Insolation
	Soli	Latin *soli*	Seul Simple	Solitaire
	Somat	Grec *sôma*	Corps	Psychosomatique
	Somn	Latin *somnus*	Sommeil	Somnambulisme
	Sono	Latin *sonus*	Son	Sonométrie
	Sopor	Latin *sopor*	Sommeil profond	Soporifique
	Sorb/Sorpt	Latin *sorbere*	Avaler Ingérer	Absorber Absorption
	Sperm	Grec *sperma*	Semence Sperme	Oligospermie Spermatogenèse Spermogramme
	Sphén	Grec *sphên/sphênos*	En forme de coin Sphénoïde	Sphénocéphalie Sphénoïdal
	Sphéro	Grec *sphaira/sphaïros* Latin *sphæra/sphera*	Sphère Sphérique	Sphérophakie
	Sphincter	Grec *sphinktos/sphinktêr*	Sphincter	Sphinctérotomie
	Sphygmo	Grec *sphugmos*	Pouls	Sphygmomanomètre
	Spicul	Latin *spiculum*	Aiguille Dard	Spiculation Spicule
	Spin	Latin *spina*	Colonne vertébrale Épine Moelle épinière Rachis	Spinal Spinocellulaire
	Spiro	Latin *spirare*	Respiration Respirer	Spirométrie
	Spiro	Grec *speira*	Enroulé Enroulement Spiralé	Spirochète
	Splanchno	Grec *splagnikos*	Viscère	Splanchnologie
	Splén	Grec *splên/splênos*	Rate	Splénectomie
	Spondyl	Grec *spondulos/spondylos*	Vertèbre	Spondylite
	Spong	Grec *spongos*	Éponge	Spongoïde
	Spor	Grec *spora*	Spore	Sporulé
	Spum	Latin *spuma*	Écume	Spume Spumeux
	Squam	Latin *squama*	Squame	Squameux
	Stapéd	Latin *stapia*	Étrier	Stapédectomie
	Staphylo	Grec *staphulê/staphylê*	En forme de grappe de raisins	Staphylocoque Staphylome

S

Radicaux	Langue d'origine	Définitions	Exemples
Staturo	Latin *statura*	Grandeur Taille	Staturopondéral
Stéat	Grec *stear/steatos*	Graisse	Stéatorrhée
Stell	Latin *stella*	En forme d'étoile Étoilé	Stellaire
Stell	Grec *stellein*	Contracter Contraction Resserrer	Péristaltisme
Stén	Grec *stenos*	Étroit Étroitesse	Sténose
Sterc	Latin *stercus*	Excrément	Stercobiline Stercoral
Stéréo	Grec *stereos*	En relief Solide Tridimensionnel	Stéréotaxie
Stern	Grec *sternon*	Poitrine Sternum	Sternotomie
Sternut	Latin *sternutare*	Éternuement Éternuer	Sternutation
Stétho	Grec *stêthos*	Poitrine	Stéthoscope
Sthénie	Grec *sthenos*	Force	Asthénie
Stoma	Latin *stomachus*	Estomac	Stomacal
Stomat	Grec *stoma/stomatos*	Bouche	Stomatite
Strab	Grec *strabos*	Qui louche Strabisme	Strabomètre
Strang	Grec *stranx*	Goutte	Strangurie
Strangul	Latin *strangulare*	Étranglement Étouffer Resserrer Suffoquer	Strangulation
Strepto	Grec *streptos*	Contourné Streptocoque Tortillé	Streptococcémie
Strict	Latin *strictus*	Étroit Resserré	Vasoconstriction
Strid	Latin *stridor*	Sifflement	Stridoreux
Strum	Latin *struma*	Goitre	Strumectomie
Styl	Grec *stulos/stylos*	Colonne	Apophyse styloïde Styalgie
Sud	Latin *sudor*	Sueur	Sudoripare
Sulc	Latin *sulcus*	Sillon	Sulciforme
Supéro	Latin *superior*	Au-dessus Plus haut Supérieur	Supéro-externe
Sur	Latin *sura*	Jambe Mollet	Sural

S

Radicaux	Langue d'origine	Définitions	Exemples
Surd	Latin *surdus*	Sourd	Surdité
Sus	Latin *sus*	Au-dessus	Sus-hépatique
Symptomato	Grec *sumptôma*	Symptôme	Symptomatologie
Synov	Grec *sun + ôon*	Synoviale	Synovectomie Synovite
Synthèse	Grec *sunthesis*	Réunir	Ostéosynthèse
Syphil	Latin *syphilis/syphilus*	Syphilis	Syphiloïde
Syringo	Grec *surinx/syringos/syrinx*	Tuyau (objet long et étroit)	Syringomyélie
Systol	Grec *sustolê/systellein*	Contraction Resserrement	Asystole

T

Radicaux	Langue d'origine	Définitions	Exemples
Tact	Latin *tactus/tangere*	Toucher	Tactognosique Tangible
Tal	Latin *talus*	Talon	Talalgie
Tars	Grec *tarsos*	Plat du pied Tarse	Métatarse
Taxie	Grec *taxis*	Arrangement Classification Disposition Ordre	Ataxie Stéréotaxie
Tégument	Latin *tegmentum/tegumentum*	Tégument	Tégumentaire
Télé	Grec *têle*	Loin de	Télangiectasie
Télo	Grec *têlos*	Fin Terme Terminaison	Télophase
Temporo	Latin *temporis/tempus*	Durée Temps	Temporospatial
Tend/Tendin	Latin *tendere/tendinis/tendo*	Tendon	Tendinite
Téno	Grec *ténôn/tenontos*	Tendon	Ténorraphie Ténosynovite
Tensio	Latin *tensio*	Tension	Hypertension
Téphro	Grec *tephros*	Gris-cendré (couleur)	Téphromyélite
Térato	Grec *teras/teratos*	Monstre	Tératogène
Térébr	Latin *terebrare*	Percer Perforation	Térébration
Test	Latin *testis*	Testicule	Testostérone
Tétan	Grec *tetanos*	Tétanos	Tétaniforme
Tétart	Grec *tetartos*	Quatrième	Tétartanopie
Tétra	Grec *tetrados/tetras*	Quatre	Tétraplégie
Thalam	Grec *thalamos*	Thalamus	Hypothalamus
Thalasso	Grec *thalassa*	Mer (eau de)	Thalassothérapie
Thanato	Grec *thanatos*	Mort	Thanatologie
Thél	Grec *thêlê*	Mamelon	Thélite
Theque	Grec *thêkê*	Capsule Enveloppe	Intrathécal

T

Radicaux	Langue d'origine	Définitions	Exemples
Therm	Grec *thermê/thermos*	Chaleur Chaud	Thermomètre
Thi	Grec *theion*	Soufre	Thiémie
Thoraco	Grec *thôrax* Latin *thorax*	Poitrine Thorax Tronc	Thoracocentèse
Thrombo	Grec *thrombos*	Caillot	Thrombolyse Thrombolytique Thrombopénie
Thym	Grec *thumos*	Thymus	Thymectomie Thymome
Thymie	Grec *thumos*	Affectivité Âme État d'esprit Humeur	Athymie Cyclothymie Dysthymie
Thyr / Thyréo	Grec *thureos/thyreos/* *thyroeidês*	Thyroïde	Anti-thyroïdien Hyperparathyroïdie Hypothyroïdie
Tibia	Latin *tibia*	Tibia	Tibial
Toc	Grec *tokos*	Accouchement Travail	Dystocie
Tonie	Grec *tonos*	Tension Tonicité Tonus	Atonie
Tonsill	Latin *tonsilla/tonsillæ*	Amygdale	Tonsillectomie
Topo	Grec *topos*	Endroit Lieu	Topographie
Toxico	Grec *toxikon*	Poison Substance ou médicament toxiques	Toxicologie
Toxo	Grec *toxikon/toxon* Latin *toxicum*	En forme d'arc, de croissant	Toxoplasme Toxoplasmose
Trabéc	Latin *trabecula*	Trabécule (petite travée, poutrelle)	Trabéculectomie
Traché	Grec *trakheia/trachys*	Trachée	Trachéite Trachéomalacie Trachéostomie
Trachél	Grec *trakhêlos*	Col Cou	Trachélisme Trachéloplastie
Trapèz	Grec *trapeza*	Trapèze	Trapèze
Trauma	Grec *trauma*	Blessure Trauma	Traumatologie
Trémo	Grec *tremein* Latin *tremulus*	Tremblement Trembler	Trémulation
Trép	Grec *trupaô*	Percer	Trépanation
Trépid	Latin *trepidare*	Trembler	Trépidation

T

Radicaux	Langue d'origine	Définitions	Exemples
Trésie	Grec *trêsis*	Conduit (naturel) Orifice Trou	Atrésie
Tri	Grec *treis* Latin *tres*	Trois	Triplés Trisomie 21
Trich	Grec *thrikos*/*thrix*	Cheveu Poil	Hypotrichose
Trigon	Grec *treis* + *gônia*/*trigônos*	De forme triangulaire Trigone	Trigonite Trigonocéphalie
Trit	Grec *triton*	Trois Troisième	Tritanopie
Troch	Grec *trokhos*	Anneau Cerceau Roue	Trochanter Trochin
Trochl	Grec *trochileia*/*trokhilia*	Poulie Trochlée	Trochléaire
Trop	Grec *trepein*	Qui a une affinité pour	Psychotrope
Troph	Grec *trophê*	Nourriture Nutrition	Atrophie Hypertrophie
Tropie	Grec *tropê*/*tropos*	Changement de direction Se tourner vers	Entropion Ésotropie Hétérotropie
Tub	Latin *tuba*	Trompe	Tubaire
Tuber	Latin *tuber*	Excroissance Protubérance Tumeur	Tubérosité
Turbid	Latin *turbidus*	Aspect trouble	Turbidité
Turbin	Latin *turba*/*turbinis*/*turbo*	Coquille conique Cornet (nasal)	Turbinectomie
Turg	Latin *turgescere*/*turgor*	Gonflement Gonfler	Turgescence Turgor
Turri	Grec *tyrsis* Latin *turris*	Tour	Turricéphalie
Tuss	Latin *tussis*	Toux	Antitussif Tussigène
Tyl	Grec *tulos*	Cal	Tylome Tylose
Tympan	Grec *tumpanon*/*tympanon* Latin *tympanum*	Tambour Tympan	Tympanite Tympanoplastie
Type	Grec *tupos*/*typos*	Caractère Figure Forme Image Marque	Atypique Génotype
Typhl	Grec *tuphlos*/*typhlos*	Cæcum	Typhlite

U

Radicaux	Langue d'origine	Définitions	Exemples
Ubiqu	Latin *ubique*	Partout	Ubiquiste

	Radicaux	Langue d'origine	Définitions	Exemples
U	Ul	Grec *oulon*	Gencive	Ulite
	Ulcer	Latin *ulcus*	Ulcère	Ulcération
	Uln	Latin *ulna*	Cubitus (avant-bras)	Ulnaire
	Uncus	Latin *uncus*	Crochet Uncus	Uncusectomie
	Ung	Latin *unguis*	Ongle	Unguéal
	Uni	Latin *uni/unum*	Unique Un seul	Unilatéral
	Ur	Grec *ourein/ouron*	Miction Urètre Urine Uriner	Dysurie Hématurie Urologie
	Urano	Grec *ouranos*	Palais	Uranoplastie
	Uréo/Ur	Grec *ourein/ouron*	Urée	Uréogenèse
	Urétér	Grec *ourêtêr*	Uretère	Urétérite
	Urétr	Grec *ourêthra*	Urètre	Urétrite Urétroscope Urétroscopie
	Urgent	*Nil*	Urgence (médecine)	Urgentologue
	Uric	Grec *ouron* Latin *urina*	Acide urique	Hyperuricémie
	Urin	Grec *ouron* Latin *urina*	Urine	Urinaire
	Urtic	Latin *urtica*	Urticaire (ortie)	Urticarisme
	Utéro	Grec *hustera* Latin *uterus*	Utérus	Utéropexie
	Uv	Latin *uva*	Grappe de raisins Uvée	Uvéite
V	Uvul	Latin *uvula*	Luette	Uvulite
	Vaccino	Latin *vacca*	Vaccin Vache	Vaccinothérapie
	Vacu	Latin *vacuus*	Cavité Vide	Vacuole
	Vagin	Latin *vagina*	Gaine Vagin	Invagination Vaginisme Vaginite
	Vago	Latin *vagus*	Nerf vague (pneumogastrique)	Vagotomie
	Valgu	Latin *valgus*	Tourné en dehors	Hallux valgus
	Valvul	Latin *valvulæ*	Valvule	Valvuloplastie
	Varic	Latin *varix*	Varice Varicosité	Varicocèle
	Varu	Latin *varus*	Tourné en dedans	Genu varum
	Vas	Latin *vas/vasis*	Canal (déférent) Vaisseau	Vasectomie Vasodilatation

V

Radicaux	Langue d'origine	Définitions	Exemples
Vascul	Latin *vasculum*	Petit canal Petit vaisseau sanguin	Vascularite
Vatér	*Nil*	Ampoule de Vater	Vatérien
Vecto	Latin *vector*	Vecteur	Vectocardiogramme
Vein	Latin *vena*	Veine	Veineux
Véloci	Latin *velocis/velocitas/* *velox*	Rapidité Vitesse	Vélocimètre
Vénér	Latin *veneris/Venus* (déesse de la sexualité)	Qui a rapport à l'acte sexuel	Vénérien
Vent	Latin *ventus*	Air Vent	Ventilation Ventouse
Ventr	Latin *venter/ventris*	Ventre	Ventral
Ventricul	Latin *ventriculus*	Ventricule	Ventriculographie
Vergence	Latin *vergere*	Incliner vers Pencher vers	Convergence
Verm	Latin *vermis*	Ver	Vermifuge
Vert	Latin *vertere*	Faire tourner Tourner	Version
Vertébr	Latin *vertebra*	Vertèbre	Vertébral
Vésic	Latin *vesica*	Vessie	Vésical
Vésicul	Latin *vesicula*	Organe en forme de petit sac Vésicule (biliaire, cutanée, séminale)	Vésiculeux Vésiculotomie
Vestibul	Latin *vestibulum*	Vestibule	Vestibulite
Vill	Latin *villutus/villus*	Villosité (velu)	Villeux
Viril	Latin *vir/virilis/viris*	Homme Sexe masculin	Virilité
Viscér	Latin *viscus*	Organe Viscère	Viscéral Viscéralgie
Visio	Latin *visio*	Voir	Vision
Visu	Latin *visualis*	Voir	Visuel
Vitr	Latin *vitreum*	Vitré	Vitrectomie
Viv	Latin *vivere/vivus*	En vie Vivant Vivre	Vivisection
Voc	Latin *vocis/vox*	Son Voix	Vocal
Vomi	Latin *vomere*	Vomir Vomissement	Vomitif
Vore	Latin *vorare*	Consommer Dévorer	Omnivore
Vulv	Latin *volva/vulva*	Vulve	Vulvectomie

X

Xanth	Grec *xanthos*	Jaune (couleur)	Xanthopsie
Xéno	Grec *xenos*	Étranger Hôte	Xénophobie

X	Radicaux	Langue d'origine	Définitions	Exemples
	Xéro	Grec *xêros*	Sec Sécheresse	Xérodermie
	Xipho	Grec *xiphos*	Appendice xiphoïde (en forme d'épée)	Xiphoïdalgie
Z	Zoaire	Grec *zôarion*	Animal	Hématozoaire
	Zoo	Grec *zôôn*	Animal	Zoomanie
	Zoster	Grec *zôstêr/zôstêros*	Zona (Herpès zoster)	Zostérien
	Zygo	Grec *zugoma/zugoô*	Pommette (joue) Union Unir	Zygomatique Zygote
	Zymo	Grec *zumê*	Enzyme (ferment, levure)	Zymologie

TABLEAU 2.3 LISTE DES SUFFIXES

A	Suffixes	Langue d'origine	Définitions	Exemples
	Able	*Nil*	Adjectif verbal qui indique une possibilité	Irritable Palpable
	Affine	Latin *affinis*	Affinité Ami	Chromaffine
	Agre	Grec *agra*	Manifestation d'une maladie	Podagre
	Aire	*Nil*	Adjectif	Articulaire Testiculaire
	Al/Ale	*Nil*	Adjectif	Dorsal Urétéral
	Algie	Grec *algesis*	Douleur	Céphalalgie Névralgie
	Ase	*Nil*	Enzyme	Streptokinase
B	Astre/Âtre	*Nil*	Incomplet Qui donne un sens péjoratif	Blanchâtre Verdâtre
C	Boulie	Grec *boulê*	Volonté	Aboulie
	Cèle	Grec *kêlê*	Hernie Protrusion Saillie	Cystocèle Hydrocèle Rectocèle
	Centèse	Grec *kentein*	Piquer Ponction	Paracentèse
	Chalasis	Grec *khalasis*	Relâchement	Blépharochalasis
	Cide	Latin *cædere*	Détruire Tuer	Homicide Pesticide
	Clasie/Claste	Grec *klan*	Briser Destruction Détruire	Ostéoclasie Ostéoclaste
	Cure	Latin *curare*	Soigner Soin	Manucure Pédicure

D

E

Suffixes	Langue d'origine	Définitions	Exemples
Dèse	Grec *desis*	Action de lier Bloquer Fusion	Arthrodèse
É	*Nil*	Adjectif	Cyanosé
Ectasie	Grec *ektasis*	Dilatation Distension	Angiectasie Bronchectasie
Ectomie	Grec *ektomê/ektemnein*	Ablation chirurgicale Excision chirurgicale Résection chirurgicale	Gastrectomie Pancréatectomie
El/Elle	*Nil*	Adjectif	Artériel Menstruel
Eur	*Nil*	Adjectif	Maigreur Rougeur
Eux/Euse	*Nil*	Adjectif	Artérioscléreux Oedémateux

F

Suffixes	Langue d'origine	Définitions	Exemples
Fère	Latin *ferre*	Porter	Somnifère
Forme	Latin *forma*	Apparence Aspect En forme de Ressemblance Ressembler	Apoplectiforme Réniforme

G

Suffixes	Langue d'origine	Définitions	Exemples
Gène	Grec *genos*	Ce qui engendre Ce qui provoque	Oncogène Pathogène
Genèse	Grec *genesis* Latin *genesis*	Fécondation Formation Génération Naissance	Ostéogenèse Uréogenèse
Gnomon	Grec *gnômôn*	Connaissance Signe Spécificité	Pathognomonique
Gnosi	Grec *gnônaï/gnosis*	Connaissance Connaître Reconnaître	Diagnostic
Gramme	Grec *grammê* Latin *gramma*	Écrit Tracé	Électrocardiogramme
Graphe	Grec *graphein*	Appareil Instrument enregistreur	Électrocardiographe
Graphie	Grec *graphein*	Examiner à l'aide de rayon X Qui produit un document écrit Radiographie	Électrocardiographie

I

Suffixes	Langue d'origine	Définitions	Exemples
Iaque	Grec *iakos*	Adjectif	Insomniaque
Iasis	Grec *iasis*	État ou condition morbide	Pityriasis Trichiasis
Iatre/Iatro	Grec *iatros*	Médecin Qui soigne	Iatrogénique Pédiatre
Iatrie	Grec *iatreia*	Traitement	Psychiatrie

Suffixes	Langue d'origine	Définitions	Exemples
Ible	*Nil*	Adjectif verbal qui indique une possibilité	Audible Transmissible
Ide	Grec *eidos*	Apparence Aspect En forme de Ressemblance Ressembler	Glucides Lipides Protides
Ien/Ienne	*Nil*	Adjectif qui indique une origine	Daltonien
If/Ive	*Nil*	Adjectif	Digestif Maladive
In/Ine	*Nil*	Adjectif	Utérin Utérine
Ique	Grec *ikê/ikos*	Qui se rapporte à	Gastrique Hépatique
Isant/Isante	*Nil*	Adjectif	Allergisant
Isme	*Nil*	Doctrine Pathologie	Masochisme Nanisme
Iste	*Nil*	Qui a une activité, une attitude ou qui suit une doctrine	Dentiste Féministe
Ite	Grec *ite*	Inflammation	Arthrite Bronchite
Lept	Grec *lambanein/lêpsis*	Qui calme Qui diminue	Catalepsie Neuroleptique
Logie	Grec *logos*	Étude Science	Biologie
Logo/Logue	Grec *logos*	Médecin spécialisé en…	Ophtalmologiste Cardiologue
Lyse/Lyt	Grec *luein/lyein*	Destruction Dissolution Séparation	Cytolytique Neurolyse
Malacie	Grec *malakia/malakos*	Ramollissement	Chondromalacie Ostéomalacie
Manie	Grec *mania*	Besoin Folie Habitude Impulsion Tendance	Cocaïnomanie Mythomanie
Mégal	Grec *megaleios/megalos*	Géant Très grande taille	Hépatomégalie Splénomégalie
Mètr	Grec *metrein/metron*	Dosage de Mesure de Mesurer	Sphygmomanomètre Thermomètre
Morph	Grec *morphê*	Apparence Forme	Dysmorphie Polymorphe
Nomie	Grec *nomos*	Loi Règle	Taxinomie

O

Suffixes	Langue d'origine	Définitions	Exemples
Ode	Grec *eidos*	Apparence Aspect En forme de Ressemblance Ressembler	Phyllode
Odynie	Grec *odynê*	Douleur	Mastodynie
Oïde	Grec *eidos*	Apparence Aspect En forme de Ressemblance Ressembler	Dermoïde Fongoïde
Oire	*Nil*	Adjectif	Respiratoire
Ole	*Nil*	Petit	Bronchiole
Omatose	Grec *ômatosis*	Tumeurs multiples	Sarcomatose
Ome	Grec *ôma*	Cancer Tumeur	Carcinome Ostéome
Ose	Grec *ôsis*	Affection non inflammatoire Maladie ou affection chronique	Fibrose Mycose
Ose	Grec *ôsis*	Sucre	Fructose Lactose
Osité	Latin *osus*	Qui se présente comme Ressemblance	Fongosité Nodosité

P

Suffixes	Langue d'origine	Définitions	Exemples
Pathie	Grec *pathos*	Affection Maladie	Cardiopathie Neuropathie
Pénie	Grec *penia*	Manque Pauvreté Peu	Leucopénie Thrombopénie
Pexie	Grec *pexis*	Fixation chirurgicale	Cystopexie Hystéropexie
Philo	Grec *philos*	Amitié Amour	Pédophilie
Phob	Grec *phobein*/*phobos*	Angoisse Crainte Peur	Claustrophobie Hématophobie
Plastie	Grec *plassein*	Réfection chirurgicale Réparation chirurgicale	Blépharoplastie Rhinoplastie
Poïèse	Grec *poiein*/*poiêsis*	Création Fabrication Formation	Hématopoïèse
Porose	Grec *poros*	Cavité Pore (dans un organe, un tissu)	Ostéoporose
Ptose	Grec *ptôsis*	Abaissement Chute Déplacement Prolapsus Relâchement	Blépharoptose Hystéroptose

	Suffixes	Langue d'origine	Définitions	Exemples
P	Ptysie	Grec *ptyein*	Crachat Expectoration	Hémoptysie
R	Rèse / Rét	Grec *rhein*	Couler Écoulement	Diurèse Diurétique
	Rragie	Grec *rhegnymein/rhein*	Couler Écoulement Hémorragie Jaillissement	Ménorragie Métrorragie
	Rraphie	Grec *raphê*	Suture chirurgicale	Angiorraphie Gastrorraphie
	Rrhée	Grec *rhein*	Écoulement Émission Sécrétion exagérée	Pyorrhée Rhinorrhée
	Rrhexis	Grec *rhêxis*	Déchirure Éclatement Rupture	Érythrorrhexis
S	Scope	Grec *skopos/skopein*	Instrument pour examiner	Gastroscope Hystéroscope
	Scopie	Grec *skopos/skopein*	Examen visuel	Gastroscopie Hystéroscopie
	Spasm	Grec *spasmos* Latin *spasmus*	Contraction Spasme	Gastropylorospasme
	Stase / Stat	Grec *stasis*	Arrêt Arrêter Contrôler Maintenir constant	Cholestase Hémostase Hémostatique
	Stomie	Grec *stoma/stomatos*	Abouchement chirurgical Bouche artificielle	Colostomie Entérostomie
T	Thérapeute	Grec *therapeuein*	Intervenant paramédical qui soigne	Ergothérapeute Physiothérapeute
	Thérapie	Grec *therapeuein*	Prendre soin Traitement	Curiethérapie Physiothérapie
	Tome	Grec *temnein/tomê*	Instrument chirurgical pour inciser ou sectionner	Ostéotome
	Tomie	Grec *temnein/tomê*	Incision chirurgicale Section chirurgicale	Laparotomie Ostéotomie
	Tripsie	Grec *tripsis*	Broyer de façon chirurgicale Écraser de façon chirurgicale	Lithotripsie
U	Uble	*Nil*	Adjectif	Soluble
	Ule	Latin *ula*	Diminutif Très petit	Tubercule Veinule
	Urne	Latin *urnus*	Adjectif	Nocturne

EXERCICE SUR QUELQUES EXCEPTIONS

Comme nous l'avons expliqué au début de ce chapitre, beaucoup de termes médicaux peuvent se décomposer en affixes et/ou en radicaux. Cependant, certains autres forment une entité par eux-mêmes ou encore sont très difficilement décomposables, car ils proviennent directement d'une langue étrangère. Ces termes sont tout aussi importants que les autres. Nous en donnons ci-dessous un certain nombre d'exemples. Trouvez le terme qui correspond à chacune des définitions.

Abcès	Coma	Hernie	Maladie	Percussion	Récurrence	Tumeur
Adjuvant	Contagion	Herpès	Médicament	Plaie	Réflexe	Vaccin
Affection	Contamination	Incubation	Métastase	Polype	Rémission	Virus
Auscultation	Culture	Infection	Microbe	Ponction	Séquelle	
Bactérie	Décubitus	Inflammation	Œdème	Pontage	Signe	
Biopsie	Ecchymose	Inoculation	Ordonnance	Prévention	Stade	
Cachexie	Fièvre	Invasion	Palliatif	Pyrexie	Symptôme	
Cancer	Fistule	Kyste	Palpation	Rechute	Syndrome	
Chirurgie	Frottis	Laxatif	Parasite	Récidive	Traitement	

1. | Accumulation de matière purulente.

2. | Terme général qui sert à désigner un grand nombre de maladies caractérisées par la croissance anormale et anarchique de cellules qui peuvent envahir et détruire les tissus sains.

3. | Technique de laboratoire qui consiste à faire proliférer des bactéries prélevées à partir d'un tissu afin de les isoler et de les identifier.

4. | Dépôt d'un liquide biologique, quel qu'il soit, sur une lame de verre pour l'étudier au microscope.

5. | Réaction de protection localisée des tissus contre une lésion, une irritation ou une infection. Les signes en sont les suivants : douleur, rougeur, chaleur, tuméfaction et, parfois, incapacité fonctionnelle.

6. | Lésion encapsulée, remplie d'une substance liquide ou semi-liquide.

7. | Migration de cellules cancéreuses vers d'autres parties du corps à partir d'une tumeur primitive, par voie lymphatique ou sanguine.

8. | Prescription donnée à un professionnel par un médecin, un dentiste ou un autre professionnel habilité par la loi, ayant notamment pour objet les médicaments, les traitements, les examens ou les soins à prodiguer à une personne ou à un groupe de personnes, les circonstances dans lesquelles ils peuvent l'être de même que les contre-indications possibles.

9. | Technique qui consiste à frapper sur une surface du corps afin de provoquer l'émission de sons.

10. | Prélèvement de liquide de l'organisme.

11. | Ensemble des moyens mis en œuvre pour prévenir l'apparition ou l'aggravation d'une maladie.

12.	Dans le cas d'une maladie chronique, période durant laquelle les symptômes diminuent ou s'estompent.	
13.	Degré de gravité d'une maladie.	
14.	Les plus petits organismes vivants qui parasitent les cellules vivantes qu'ils envahissent.	
15.	Médicament ou traitement qui sert à renforcer une pharmacothérapie ou un autre traitement en cours.	
16.	Condition de malabsorption avancée qui apparaît fréquemment chez les personnes souffrant de cancer, surtout aux stades avancés de la maladie, et qui se caractérise principalement par une perte de poids.	
17.	Élévation de la température corporelle au-dessus de la normale.	
18.	Temps écoulé entre le moment où l'hôte est entré en contact avec le microorganisme et l'apparition des premiers signes et symptômes de la maladie infectieuse.	
19.	Saillie d'un organe ou d'une de ses parties à travers la paroi de la cavité qui le renferme normalement.	
20.	Médicament qui stimule l'activité intestinale et favorise l'élimination fécale.	
21.	Germe pathogène qui ne peut être vu qu'au microscope.	
22.	Examen du corps à l'aide du sens du toucher.	
23.	Tumeur généralement bénigne qui se forme sur les muqueuses des cavités naturelles du corps humain.	
24.	Réapparition d'une maladie chez une personne qui en a déjà souffert dans le passé.	
25.	Réunion de plusieurs symptômes et/ou signes qui peuvent être observés dans différentes maladies, mais n'ayant aucune cause spécifique.	
26.	Préparation qui, une fois introduite dans l'organisme, provoque la formation d'anticorps pour lutter contre un microorganisme en particulier.	
27.	Anomalie détectable de la fonction normale d'un tissu ; synonyme de maladie.	
28.	État d'inconscience.	
29.	Tache causée par la diffusion de sang dans les tissus de l'organisme, à la suite d'un saignement localisé.	
30.	Maladie infectieuse et contagieuse, caractérisée par des lésions cutanées de volume et de nombre variables, due au virus de l'herpès simplex.	
31.	Introduction dans l'organisme d'un liquide qui contient un agent pathogène.	
32.	Terme qui sert à désigner les moyens mis en place pour atténuer les symptômes d'une maladie sans agir directement sur sa cause.	
33.	Microorganisme qui vit aux dépens d'un organisme, à l'extérieur ou à l'intérieur de celui-ci.	
34.	Intervention chirurgicale qui consiste à rétablir la circulation là où une obstruction ou un rétrécissement était présent.	

35.	Suites, complications plus ou moins tardives et durables d'une maladie.
36.	Méthode d'examen clinique qui consiste le plus souvent à écouter les bruits organiques produits par la circulation de l'air ou d'un liquide à l'intérieur de l'organisme.
37.	Transmission d'une maladie d'un sujet atteint à un sujet en bonne santé.
38.	Microorganisme infectieux le plus répandu.
39.	Communication anormale qui peut mettre en relation deux organes internes ou un organe et la peau.
40.	État d'un hôte envahi par des germes pathogènes (bactéries, virus, parasites, etc.) qui interagissent sur le plan physiologique et immunitaire.
41.	Processus morbide qui modifie l'état de santé et qui se manifeste le plus souvent par des signes et des symptômes caractéristiques.
42.	Augmentation du volume des tissus mous, due à une accumulation de liquides.
43.	Température corporelle anormale ; synonyme de fièvre.
44.	Ensemble des moyens mis en œuvre pour lutter contre une maladie ou pour la guérir.
45.	Intervention consistant à prélever un échantillon de tissu afin de l'examiner au microscope.
46.	Discipline qui consiste à traiter des maladies ou à soigner des blessures grâce à des interventions manuelles, aidées par des instruments.
47.	Attitude du corps qui se trouve sur un plan horizontal (état de repos).
48.	Infection d'une surface corporelle par des microorganismes.
49.	Apparition des premiers signes d'une maladie, due à l'envahissement de l'organisme par des agents pathogènes.
50.	Substance qu'on administre dans le but d'établir un diagnostic, de prévenir une maladie, de guérir, de traiter ou de soulager un ou plusieurs symptômes.
51.	Ouverture dans les chairs causée par un traumatisme ou une intervention chirurgicale.
52.	Réapparition des signes d'une maladie qui était en voie de guérison.
53.	Manifestation d'une maladie observée par le professionnel de la santé lors d'un examen clinique.
54.	Réapparition après plusieurs semaines, voire plusieurs mois, des signes d'une maladie sans qu'il y ait une nouvelle infection.
55.	Terme synonyme de néoplasme.
56.	Mouvement automatique en réponse à un stimulus.
57.	Manifestation d'une maladie perçue par le malade.

EXERCICES SIMPLIFIÉS PORTANT SUR DES TERMES MÉDICAUX

Ces exercices simplifiés vous permettent de mieux comprendre la signification de divers termes médicaux à l'aide des affixes ou des radicaux qui les composent.

Exercice n° 1

A) Quelle est la signification de chacun des préfixes suivants :

1. An _____   **7.** Multi _____

2. Brady _____   **8.** Néo _____

3. Dys _____   **9.** Olig _____

4. Épi _____   **10.** Péri _____

5. Hyper _____   **11.** Pollaki _____

6. Mono _____   **12.** Tachy _____

B) Quelle est la signification de chacun des radicaux suivants :

1. Acou _____   **20.** Laparo _____

2. Angi _____   **21.** Mamm _____

3. Arthr _____   **22.** Natr _____

4. Brachi _____   **23.** Nyct _____

5. Cardi _____   **24.** Oment _____

6. Chondr _____   **25.** Onco _____

7. Cinésie _____   **26.** Orexie _____

8. Cost _____   **27.** Phléb _____

9. Cox _____   **28.** Pnée _____

10. Cryo _____   **29.** Puerpér _____

11. Duodén _____   **30.** Quadr _____

12. Émie _____   **31.** Sclér _____

13. Esthésie _____   **32.** Séro _____

14. Gluc _____   **33.** Sial _____

15. Gynéco _____   **34.** Stern _____

16. Hémat _____   **35.** Topo _____

17. Hémi _____   **36.** Trich _____

18. Hydro _____   **37.** Ur _____

19. Kali _____

C) Quelle est la signification de chacun des suffixes suivants :

1. Algie _____

2. Cèle _____

3. Cide _____

4. Ectasie _____

5. Graphie _____

6. Logie _____

7. Manie _____

8. Oïde _____

9. Ome _____

10. Ose _____

11. Pathie _____

12. Pénie _____

13. Ptose _____

14. Thérapie _____

Exercice n° 2

Attribuez le radical correspondant à chacun des termes suivants :

1. Aisselle _____

2. Amnios _____

3. Anus _____

4. Aorte _____

5. Bourse _____

6. Bras _____

7. Caillot sanguin _____

8. Cellule _____

9. Cerveau _____

10. Champignon _____

11. Clavicule _____

12. Côlon _____

13. Cotyle _____

14. Crâne _____

15. Estomac _____

16. Fémur _____

17. Gland (du pénis) _____

18. Grossesse _____

19. Langue _____

20. Larynx _____

21. Oreille _____

22. Paupière _____

23. Périnée _____

24. Pharynx _____

25. Plèvre _____

26. Pouls _____

27. Pus _____

28. Rate _____

29. Rectum _____

30. Rein _____

31. Rotule _____

32. Soif _____

33. Synoviale _____

34. Tendon _____

35. Testicule _____

36. Thymus _____

37. Tissu _____

38. Ulcère _____

39. Uretère _____

40. Urètre _____

41. Vessie _____

Attribuez le suffixe correspondant à chacun des termes suivants :

1. Ablation chirurgicale _____

2. Abouchement chirurgical _____

3. Écrasement par voie chirurgicale _____

4. Examen visuel _____

5. Fixation chirurgicale _____

6. Incision chirurgicale _____

7. Ponction _____

8. Réfection chirurgicale _____

9. Relâchement _____

10. Suture chirurgicale _____

11. Tuer _____

TESTEZ VOS CONNAISSANCES

MaBiblio > MonLab > Exercices > Ch02 > Questions vrai ou faux
> Questions à choix multiples
> Questions à menu déroulant

3

Le système **tégumentaire**

Objectif pédagogique	Connaître les termes médicaux liés au système tégumentaire

Définitions

Pour commencer, voici la définition de deux termes qui se rapportent au système tégumentaire.

TÉGUMENT

Tégument vient du latin *tegumentum* ou *tegmentum*, qui signifie tissu ou ensemble de tissus recouvrant et enveloppant un organisme vivant.

Chez l'être humain, les téguments sont formés par la peau et ses annexes, les phanères. Les phanères sont les productions épidermiques suivantes : les poils, les cheveux et les ongles.

TÉGUMENTAIRE

Qui est propre aux téguments, qui est de la nature des téguments.

EXERCICE DE TERMINOLOGIE

Vous trouverez ci-dessous une liste de termes médicaux importants qu'il vous faut connaître au sujet du système tégumentaire. Associez chacun d'entre eux à la définition correspondante.

Acné	Érythème	Nævus	Purpura
Chéloïde	Escarre de décubitus	Ongle incarné	Pustule
Cicatrice	Exanthème	Panaris	Squame
Dermite du siège	Furoncle	Papule	Sueur
Durillon	Gangrène	Prurit	Ulcération
Eczéma	Impétigo	Psoriasis	Urticaire

1.	Synonyme d'érythème fessier.
2.	Rougeur associée à différentes éruptions.
3.	Petite tache cutanée circonscrite, habituellement congénitale.
4.	Éruption cutanée.
5.	Synonyme de démangeaison.

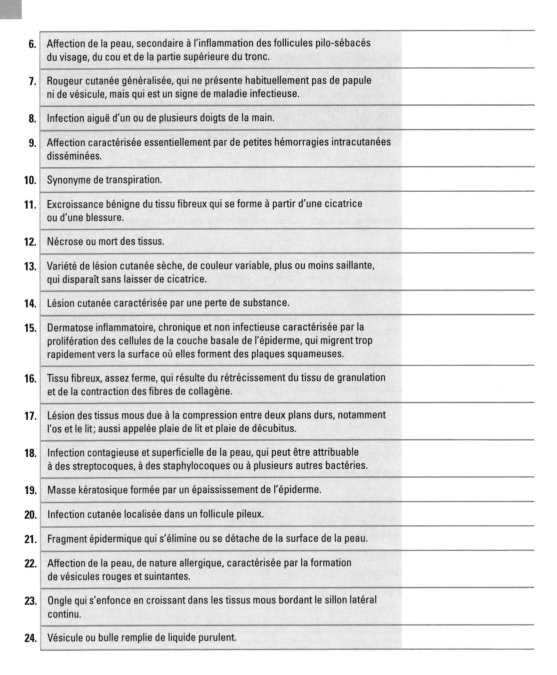

6. Affection de la peau, secondaire à l'inflammation des follicules pilo-sébacés du visage, du cou et de la partie supérieure du tronc.

7. Rougeur cutanée généralisée, qui ne présente habituellement pas de papule ni de vésicule, mais qui est un signe de maladie infectieuse.

8. Infection aiguë d'un ou de plusieurs doigts de la main.

9. Affection caractérisée essentiellement par de petites hémorragies intracutanées disséminées.

10. Synonyme de transpiration.

11. Excroissance bénigne du tissu fibreux qui se forme à partir d'une cicatrice ou d'une blessure.

12. Nécrose ou mort des tissus.

13. Variété de lésion cutanée sèche, de couleur variable, plus ou moins saillante, qui disparaît sans laisser de cicatrice.

14. Lésion cutanée caractérisée par une perte de substance.

15. Dermatose inflammatoire, chronique et non infectieuse caractérisée par la prolifération des cellules de la couche basale de l'épiderme, qui migrent trop rapidement vers la surface où elles forment des plaques squameuses.

16. Tissu fibreux, assez ferme, qui résulte du rétrécissement du tissu de granulation et de la contraction des fibres de collagène.

17. Lésion des tissus mous due à la compression entre deux plans durs, notamment l'os et le lit ; aussi appelée plaie de lit et plaie de décubitus.

18. Infection contagieuse et superficielle de la peau, qui peut être attribuable à des streptocoques, à des staphylocoques ou à plusieurs autres bactéries.

19. Masse kératosique formée par un épaississement de l'épiderme.

20. Infection cutanée localisée dans un follicule pileux.

21. Fragment épidermique qui s'élimine ou se détache de la surface de la peau.

22. Affection de la peau, de nature allergique, caractérisée par la formation de vésicules rouges et suintantes.

23. Ongle qui s'enfonce en croissant dans les tissus mous bordant le sillon latéral continu.

24. Vésicule ou bulle remplie de liquide purulent.

EXERCICE PORTANT SUR LES RADICAUX

À partir de la liste de radicaux ci-dessous, trouvez les 20 qui se rapportent strictement au système tégumentaire et les termes médicaux qu'ils définissent.

Axill	Derm	Galact	Kali	Pil	Somat	Ung
Andro	Dermat	Gangli	Ombilic	Pnée	Squam	Ur
Cæc	Dors	Genu	Oment	Prosop	Sud	Urtic
Cutan	Embol	Geste	Omphal	Pulmo	Surd	Vésico
Cuti	Faci	Glandul	Onco	Rhytid	Trich	
Dacry	Fœto	Hépat	Onycho	Séb	Ulcer	

Radical	Terme

EXERCICE D'ANALYSE LEXICOGRAPHIQUE

Voici quelques termes médicaux reliés au système tégumentaire. Cet exercice vous permettra de vous familiariser avec les différentes étapes de l'analyse d'un terme médical (voir le chapitre 1). Décomposez le terme proposé (préfixe, radical, suffixe) et donnez-en la définition en vous fondant sur la signification de ses éléments de base.

1. Adiposité _____

_____

2. Anhidrose _____

_____

3. Dermatofibrome _____

_____

4. Érythrodermie _____

_____

5. Leucodermie _____

_____

6. Omphalectomie _____

_____

7. Omphalite _____

_____

8. Omphalocèle _____

_____

9. Omphalorragie _____

_____

10. Onychatrophie _____

_____

11. Sclérodermie _____

_____

12. Unguéal _____

_____

13. Xanthodermie _____

_____

EXERCICE DE LECTURE DIRIGÉE

Trouvez dans le texte ci-dessous les 10 termes médicaux qui font référence au système tégumentaire. Analysez-les à l'aide des quatre étapes présentées au chapitre 1. Décomposez le terme trouvé (préfixe, radical, suffixe) et donnez-en la définition en vous fondant sur la signification de ses éléments de base.

■ ■ REMARQUE

Pour mieux intégrer vos apprentissages, vous pourrez aussi rechercher dans ce texte d'autres termes médicaux, qui ne font pas référence au système tégumentaire.

Raison de la consultation

Présence de plaques érythémateuses et squameuses au niveau des coudes, des genoux et du cuir chevelu.

Présentation :

Mme Jeannine Savard, âgée de 25 ans, vient consulter à cause de plaques érythémateuses et squameuses présentes sur ses coudes, sur ses genoux et sur son cuir chevelu. Depuis deux mois, ces plaques évoluent de façon assez inquiétante, raison pour laquelle Mme Savard a voulu prendre rendez-vous avec un dermatologue.

Antécédents familiaux :

Père et mère en bonne santé.

Habitudes :

Aucune en particulier.

Antécédents personnels :

Hypercholestérolémie sous traitement.
Pharyngite streptococcique, il y a six mois.

Allergies médicamenteuses et autres :

Aucune connue.

Examen physique – Téguments :

Dermatose érythémateuse à grosses squames blanchâtres, qui se détachent difficilement de la surface de la peau des coudes, des genoux, du cuir chevelu, mais aussi de la région lombosacrée.

Conduite à tenir :

Le dermatologue prélève un fragment de la lésion lombosacrée en vue d'une biopsie. Il prescrit à Mme Savard des analyses de sang et lui fixe un nouveau rendez-vous.

Une semaine plus tard, Mme Savard revient consulter le dermatologue.

Résultats des analyses de sang :

- Facteur rhumatoïde : Négatif.
- Formule sanguine : Hyperleucocytose. Vitesse de sédimentation accrue.
- Biochimie du sang : Hyperuricémie.
- Biopsie cutanée : Lésion infiltrée par des polynucléaires. Neutrophiles, évoquant le psoriasis.

Diagnostic :

Psoriasis.

Recommandations du dermatologue :

- Éviter les expositions au soleil.
- Prendre des bains à l'huile d'amande douce.
- Utiliser une solution kératolytique pendant quelques jours.

Complications possibles de cette maladie :

- Érythrodermie.
- Rhumatisme psoriasique.
- Maladie à évolution chronique.

1. _____
   _____

2. _____
   _____

3. _____
   _____

4. _____
   _____

5. _____
   _____

6. _____
   _____

7. _____
   _____

8. _____
   _____

9. _____
   _____

10. _____
   _____

EXERCICE D'ASSOCIATION

Pour chacune des définitions suivantes, trouvez le terme médical exact à partir de la liste ci-dessous contenant différents éléments de terminologie. Pour chacun des éléments qui composent le terme médical approprié, déterminez s'il s'agit d'un préfixe, d'un radical ou d'un suffixe.

CUTAN	DERMATO	HIDRO	LYSE	ONYCHO
CUTANÉO	DERMO	IQUE	MYC	OSE
DERM	ÉPI	ITE	OÏDE	PATHIE
DERMAT	HIDR	LOGIE	OME	RRHÉE

■ ■ REMARQUE

Un élément peut être utilisé plusieurs fois.

Définitions :

1. Séparation spontanée de l'ongle et de la pulpe unguéale :

2. Structure qui rappelle celle de la peau :

3. Néoplasme cutané :

4. Sécrétion exagérée de sueur :

5. Inflammation de la peau :

6. Partie de la médecine qui porte, entre autres, sur les maladies de la peau :

7. Affection non inflammatoire touchant les ongles, causée par des champignons parasites :

8. Affection/Maladie de la peau :

9. Synonyme de dermatite :

10. Maladie chronique touchant la sécrétion sudorale :

11. Inflammation du derme et de l'épiderme :

12. Qui se rapporte à l'épiderme :

13. Affection/Maladie des ongles :

Mots croisés

LE SYSTÈME TÉGUMENTAIRE

Horizontalement

1. Hernie ombilicale – Qui appartient à la peau.

3. Infection contagieuse superficielle de la peau, qui peut être attribuable à des streptocoques, à des staphylocoques ou à plusieurs autres germes – Croissance excessive du système pileux.

5. Absence congénitale de la face – Affection de la peau secondaire à l'inflammation des follicules pilosébacés du visage, du cou et de la partie supérieure du tronc – Radical qui signifie peau.

7. Radical qui signifie sueur.

9. Radical qui signifie ongle.

11. Radical qui signifie face – Lésion primaire de l'acné, causée par un bouchon de sébum dans le follicule pileux.

13. Sorte de rasoir destiné à prélever des fragments de peau, plus ou moins épais, en vue de greffes cutanées – Sécrétion grasse et lubrifiante produite par les glandes sébacées de la peau – Radical qui signifie ganglion ou glande.

17. Affection allergique de la peau caractérisée par des vésicules rouges, contenant du liquide.

19. Résection chirurgicale du nombril.

21. Fragilité extrême des ongles due à des fissures longitudinales.

Verticalement

1. Dont la structure rappelle celle de l'épiderme – Masse kératosique formée par un épaississement de l'épiderme.

3. Malformation congénitale caractérisée par un défaut de fermeture de la paroi abdominale dans la région ombilicale – Radical qui signifie de couleur rose.

5. Dermatose caractérisée par un érythème et par une très fine desquamation – Radical qui signifie nævus.

7. Inflammation chronique de la peau autour d'un ongle.

9. Atteinte inflammatoire de l'épiderme – Radical qui signifie pityriasis.

11. Nom générique donné aux dermatomycoses, dans lesquelles les parasites restent dans l'épiderme – Radical qui signifie peau.

13. Radical qui signifie gale – Radical qui signifie peau.

15. Autre radical qui désigne la peau.

19. Petite tache cutanée circonscrite, habituellement congénitale – Qui a rapport à la gale.

21. Affection localisée ou étendue qui se caractérise par la destruction des mélanocytes dans des régions circonscrites de la peau, et qui prend la forme de taches blanches – Autre radical qui désigne la face.

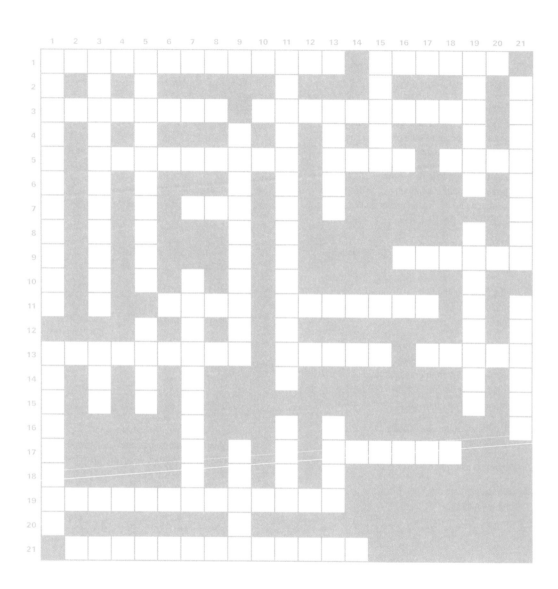

TESTEZ VOS CONNAISSANCES

MaBiblio > MonLab > Exercices >   Ch03 > Questions vrai ou faux
                                               > Questions à choix multiples
                                               > Questions à menu déroulant

MaBiblio > MonLab > Documents >   Ch03 > Exercice d'analyse de termes
                                               > Dictée médicale

4

Le système **digestif**

| Objectif pédagogique | Connaître les termes médicaux liés au système digestif |

Définitions

Pour commencer, voici la définition de deux termes qui se rapportent au système digestif.

DIGESTION

Le terme digestion, qui vient du latin *digerere,* désigne l'ensemble des transformations que subissent les aliments dans le tube digestif avant d'être assimilés, notamment le mélange avec les enzymes digestives et les sécrétions gastriques, ainsi que la décomposition des protéines, des lipides et des glucides en molécules plus petites.

SYSTÈME DIGESTIF

Ensemble des organes du corps humain, qui ont pour fonction l'assimilation et la transformation des aliments.

EXERCICE DE TERMINOLOGIE

Vous trouverez ci-dessous une liste de termes médicaux importants qu'il vous faut connaître au sujet du système digestif. Associez chacun d'entre eux à la définition correspondante.

Appendicite	Constipation	Hématémèse	Péritonite	Tympanisme
Cholélithiase	Dyspepsie	Iléus	Prognathie	Ulcère
Cirrhose	Éructation	Melæna	Pyrosis	Volvulus
Colique	Fécalome	Muguet	Sialolithe	Vomissement
Colite	Gastrite	Nausée	Stéatorrhée	

1. Affection hépatique chronique se caractérisant par l'apparition de fibrose et par la formation de tissu conjonctif dense dans le foie ; des changements dégénératifs se manifestent par la suite, de même qu'une perte de cellules fonctionnelles.

___ I ___ ___ ___ ___ ___

2. Trouble de la digestion qui survient fréquemment après les repas.

___ ___ ___ ___ ___ ___ S ___ ___ ___

3. Inflammation aiguë ou chronique de la muqueuse de l'estomac.

___ ___ S ___ ___ ___ ___ ___

4. Occlusion intestinale aiguë ou chronique.

___ ___ ___ U ___

5.	Envie de vomir.	_ _ _ _ _ E
6.	Saillie en avant de la partie inférieure de la face (mâchoire inférieure ou les deux mâchoires).	_ _ _ _ _ _ _ _ _ E
7.	Selles mousseuses et nauséabondes contenant beaucoup de matières grasses.	_ _ É _ _ _ _ _ _
8.	Infection et inflammation de l'appendice se manifestant par des douleurs abdominales aiguës et des nausées.	_ _ _ _ E _ _ _ _ _ _
9.	Inflammation aiguë ou chronique du côlon.	_ _ _ _ _ _ E
10.	Synonyme de rot.	_ _ _ _ _ A _ _ _ _
11.	Inflammation de la muqueuse buccale due à *Candida albicans*.	_ _ _ U _ _ _
12.	Bruit musical ou bourdonnant produit, par exemple, par un estomac rempli d'air.	_ _ _ _ _ _ A _ _ _ _
13.	Sensation de brûlure qui, partant de l'épigastre, remonte l'œsophage jusqu'à la gorge, tout en s'accompagnant d'éructation et de renvoi d'un liquide acide et brûlant.	_ _ _ _ _ _ I _
14.	Passage de selles petites, sèches et dures ou absence de selles pendant une période prolongée.	_ _ _ _ _ _ I _ _ _ _ _ _
15.	Présence de calculs dans la vésicule biliaire ; aussi appelée lithiase vésiculaire.	_ _ _ _ _ _ _ _ _ _ _ E
16.	Masse ou accumulation de selles durcies dont la consistance ressemble à du mastic et qui se trouve dans les replis du rectum.	_ _ _ _ _ _ _ _ E
17.	Selles noirâtres, goudronneuses, collantes et nauséabondes ; indique la présence de sang digéré dans les selles.	_ _ _ _ E _ _ _
18.	Affection douloureuse du côlon ou douleur abdominale.	_ _ _ _ _ _ E
19.	Vomissements de sang.	_ _ _ _ A _ _ _ _ _ _ _
20.	Calcul contenu dans une glande salivaire.	_ _ _ _ _ _ _ _ _ E
21.	Torsion de l'intestin entraînant son obstruction.	_ _ _ _ _ U _ _ _ _
22.	Affection de l'estomac qui se traduit par la perte de substance du revêtement de la muqueuse.	_ _ _ _ _ _ E
23.	Inflammation de la membrane séreuse qui tapisse la cavité abdominale, résultant généralement d'une infection bactérienne du tractus gastro-intestinal et s'accompagnant d'écoulements du contenu intestinal dans la cavité abdominale.	_ _ _ _ _ _ _ N _ _ _ _ _
24.	Rejet brutal du contenu de l'estomac par la bouche.	_ _ _ _ _ _ E _ _

EXERCICE PORTANT SUR LES RADICAUX

À partir de la liste de radicaux ci-dessous, trouvez les 20 qui se rapportent strictement au système digestif et les termes médicaux qu'ils définissent.

Adip	Calic	Duction	Gust	Labi	Pancréat	Sud
An	Capill	Duodén	Hépat	Moto	Phaco	Sigmoïd
Bil	Chol	Embol	Igni	Næv	Proct	Stoma
Bucc	Curie	Entér	Intestin	Œsophag	Proto	Stomat
Burs	Cyst	Gastr	Jéjun	Ortho	Pulmo	
Cæc	Derm	Géronto	Kyst	Palmo	Pylor	

Radical	Terme

EXERCICE D'ANALYSE LEXICOGRAPHIQUE

Voici quelques termes médicaux reliés au système digestif. Cet exercice vous permettra de vous familiariser avec les différentes étapes de l'analyse d'un terme médical (voir le chapitre 1). Décomposez le terme proposé (préfixe, radical, suffixe) et donnez-en la définition en vous fondant sur la signification de ses éléments de base.

1. Appendicectomie _____

_____

2. Cholangio-entérostomie _____

_____

3. Cholangiographie _____

_____

4. Cholécystite _____

_____

5. Colorectostomie _____

_____

6. Entérite _____

_____

7. Épigastrite _____

_____

8. Gastroentérite _____

_____

9. Gastrotomie _____

_____

10. Hépatectomie _____

_____

11. Hépatorrhexis _____

12. Hépatorraphie _____

_____

13. Œsophago-gastro-duodénoscopie _____

_____

14. Vagotomie _____

_____

EXERCICE DE LECTURE DIRIGÉE

Trouvez dans le texte ci-dessous les huit termes médicaux qui font référence au système digestif. Analysez-les à l'aide des quatre étapes présentées au chapitre 1. Décomposez le terme trouvé (préfixe, radical, suffixe) et donnez-en la définition en vous fondant sur la signification de ses éléments de base.

■ ■ REMARQUE

> Pour mieux intégrer vos apprentissages, vous pourrez aussi rechercher dans ce texte d'autres termes médicaux, qui ne font pas référence au système digestif.

Raison d'admission

Mal de ventre.

Histoire de la maladie actuelle :

Tommy Duchesne, 12 ans, souffre d'une douleur abdominale péri-ombilicale depuis deux jours. Cette douleur a tendance à migrer vers la fosse iliaque droite. Depuis deux jours, il souffre aussi d'anorexie s'accompagnant de nausées et de vomissements.

Antécédents familiaux :

Père et mère en bonne santé.

Allergies médicamenteuses et autres :

Aucune connue.

Antécédents personnels :

Aucun en particulier.

Examen physique :

* Fièvre à 39 °C.
* Tachycardie.
* Diarrhée.
* Douleur à la palpation de la fosse iliaque droite avec défense musculaire.

Résultat des analyses de sang :

Formule sanguine : Hyperleucocytose (au-dessus de $18,0 \times 10^9$/L) avec élévation des polynucléaires neutrophiles.

Diagnostic :

Appendicite aiguë perforée avec péritonite généralisée.

Conduite à tenir :

Conduire le patient en salle d'opération.

Laparotomie exploratrice, appendicectomie et drainage de la collection purulente, exécutés par le chirurgien généraliste.

1. _____

_____

2. _____

_____

3. _____

_____

4. _____

_____

5. _____

_____

6. _____

_____

7. _____

_____

8. _____

_____

EXERCICE D'ASSOCIATION

Pour chacune des définitions suivantes, trouvez le terme médical exact à partir de la liste ci-dessous contenant différents éléments de terminologie. Pour chacun des éléments qui composent le terme médical approprié, déterminez s'il s'agit d'un préfixe, d'un radical ou d'un suffixe.

ALGIE	CYSTO	GRAPHIE	LITHI	SCOPIE
AN	DUODÉN	HÉMAT	OREXIE	SIGMOÏDO
ASE	DYS	HÉPAT	PATHIE	STOMIE
CHOLÉ	ÉMÈSE	IQUE	PHAGIE	TOMIE
CHOLÉDOCHO	ENTÉRO	ITE	PLASTIE	
COLO	GASTR	JÉJUNO	SCOPE	

■ ■ **REMARQUE**

Un élément peut être utilisé plusieurs fois.

Définitions :

1. Qui se rapporte à l'estomac :

_____

2. Abouchement chirurgical entre deux segments du gros intestin :

_____

3. Examen de la vésicule biliaire à l'aide des rayons X :

_____

4. Présence de calculs dans le canal cholédoque :

_____

5. Douleur au niveau du foie :

_____

6. Affection de l'intestin :

_____

7. Examen visuel du côlon sigmoïde :

_____

8. Intervention visant la réparation chirurgicale du jéjunum :

_____

9. Inflammation du duodénum :

_____

10. Difficulté d'avaler, de manger :

_____

11. Vomissement de sang :

_____

12. Perte ou diminution de l'appétit :

_____

Mots croisés

Horizontalement

1. Torsion de l'intestin entraînant son obstruction – Radical qui signifie foie.

3. Résection chirurgicale totale ou partielle de l'estomac – Radical qui signifie pancréas.

5. Concentration anormalement élevée de bilirubine dans le sang – Radical qui signifie ampoule de Vater.

7. Affection due à *Candida albicans,* qui se développe souvent au niveau de la muqueuse buccale – Accumulation de matières fécales qui ne peuvent être évacuées.

9. Selles mousseuses et nauséabondes, contenant beaucoup de matières grasses – Occlusion aiguë ou chronique qui se situe au niveau de l'intestin.

11. Inflammation aiguë ou chronique de l'épigastre – Radical qui signifie cæcum.

13. Envie de vomir – Produit de la digestion gastrique provenant du mélange des aliments avec la salive – Radical qui signifie bouche.

15. Radical qui signifie rectum – Radical qui signifie iléon.

19. État de l'abdomen lorsque l'intestin est rempli de gaz.

Verticalement

1. Section chirurgicale du nerf vague au niveau de l'abdomen – Incision chirurgicale de l'intestin grêle.

3. Stade du processus digestif au cours duquel les aliments pénètrent dans le tube digestif par la bouche et l'œsophage – Radical qui signifie lèvres.

5. Synonyme d'éructation – Radical qui signifie dent.

7. Affection qui se situe au niveau de l'estomac, caractérisée par la perte de substance du revêtement de la muqueuse – Inflammation aiguë ou chronique de l'intestin grêle.

9. Radical qui signifie côlon.

11. Radical qui signifie foie.

13. Ablation chirurgicale partielle ou totale du foie.

17. Saillie du rectum à travers la paroi vaginale postérieure détendue – Radical qui signifie lèvres.

19. Autre radical qui signifie lèvre – Affection douloureuse du côlon ou douleur abdominale.

21. Affection de l'intestin grêle.

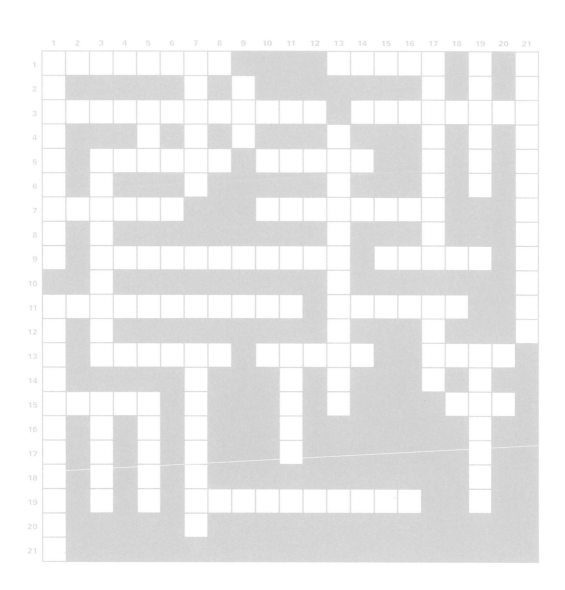

TESTEZ VOS CONNAISSANCES

MaBiblio > MonLab > Exercices >   Ch04 > Questions vrai ou faux
                                        > Questions à choix multiples
                                        > Questions à menu déroulant

MaBiblio > MonLab > Documents >   Ch04 > Exercice d'analyse de termes
                                        > Dictée médicale

5

Le système **cardiovasculaire**, le **sang** et le système **lymphatique**

| **Objectif pédagogique** | Connaître les termes médicaux liés au système cardiovasculaire, au sang et au système lymphatique |

Définitions

Pour commencer, voici la définition de quelques termes qui se rapportent au système cardiovasculaire, au sang et au système lymphatique.

LYMPHATIQUE

Qui se rapporte à un liquide appelé lymphe.

LYMPHE

Liquide contenant des leucocytes et des protéines, dont la composition est semblable à celle du plasma sanguin, et qui est transporté par les vaisseaux lymphatiques.

SANG

Liquide de couleur rouge, composé de nombreux éléments, qui est transporté à travers l'organisme par les artères, les veines et les capillaires.

SANGUIN

Relatif au sang et aux différents éléments qui le composent ; qui est de la nature du sang.

SYSTÈME CARDIOVASCULAIRE

Ensemble constitué par le cœur et les vaisseaux qui acheminent le sang à travers l'organisme. Il forme avec le système lymphatique l'appareil circulatoire.

EXERCICE DE TERMINOLOGIE

Vous trouverez à la page suivante une liste de termes médicaux importants qu'il vous faut connaître au sujet du système cardiovasculaire, du sang et du système lymphatique. Associez chacun d'entre eux à la définition correspondante.

Anémie	Éosinophilie	Hypotension artérielle	Polycythémie
Anévrisme	Extrasystole	Infarctus du myocarde	Purpura
Angine de poitrine	Fibrillation	Lymphœdème	Souffle
Cardiomyopathie	Flutter	Mononucléose	Thalassémie
Coagulation	Hémophilie	Myocardite	Thrombose veineuse
Embolie	Hypertension artérielle	Palpitations	Varice du membre inférieur

1. Dilatation permanente d'une veine superficielle accompagnée d'une altération pathologique de sa paroi, entraînée par l'arrêt du fonctionnement des valvules ; souvent localisée au niveau du membre inférieur.

2. Dilatation locale qui se forme dans une zone affaiblie de la paroi d'une artère.

3. Affection caractérisée par l'augmentation du nombre de mononucléaires.

4. Anomalie du rythme cardiaque, qui touche souvent les oreillettes.

5. Affection héréditaire liée au chromosome sexuel *X* qui se traduit par un retard de la coagulation sanguine.

6. Anomalie héréditaire de la synthèse de l'hémoglobine qui s'accompagne le plus souvent d'anémie.

7. Douleur thoracique qui survient à la suite d'une ischémie myocardique.

8. Contraction cardiaque prématurée.

9. Augmentation anormale du nombre d'érythrocytes.

10. Bruit anormal provoqué par une turbulence du courant sanguin qui traverse le cœur ou un vaisseau.

11. Inflammation du muscle cardiaque.

12. Affection se caractérisant par la réduction du nombre d'érythrocytes (globules rouges).

13. Obstruction brusque d'un vaisseau sanguin ou lymphatique provoquée par un corps étranger (embole).

14. Ensemble de processus biochimiques qui se traduisent par la transformation du sang liquide en une masse solide.

15. Pression artérielle supérieure à 140/90 mm Hg.

16. Augmentation anormale du nombre de polynucléaires éosinophiles dans le sang.

17. Occlusion d'une veine par un thrombus (caillot sanguin).

18. Chute de la pression artérielle au-dessous de 100/60 mm Hg.

19. Tuméfaction chronique d'un membre due à l'arrêt de la circulation lymphatique et généralement associée à une dissection axillaire.

20. Affection non inflammatoire du muscle cardiaque.

21. Affection caractérisée essentiellement par de petites hémorragies intracutanées disséminées.

22.	Nécrose du tissu cardiaque causée par l'insuffisance d'oxygène dans la circulation sanguine.
23.	Contraction anormale de fibres musculaires, particulièrement de celles du muscle cardiaque.
24.	Battements cardiaques plus sensibles et plus rapides que d'habitude.

EXERCICE PORTANT SUR LES RADICAUX

À partir de la liste de radicaux ci-dessous, trouvez les 20 qui se rapportent strictement au système cardiovasculaire, au sang et au système lymphatique et les termes médicaux qu'ils définissent.

Adip	Bio	Embol	Maxill	Rythm
Angi	Capill	Émie	Nau	Séro
Antéro	Cardi	Faci	Onycho	Sterco
Aort	Chilo	Follic	Pèle	Systol
Appendic	Chyl	Globul	Phléb	Thrombo
Artér	Coronar	Hémat	Puls	Valvul
Auricul	Diét	Hémo	Rect	Vein
Bil	Digiti	Icter	Rup	Ventricul

Radical	Terme

EXERCICE D'ANALYSE LEXICOGRAPHIQUE

Voici quelques termes médicaux reliés au système cardiovasculaire, au sang et au système lympha-tique. Cet exercice vous permettra de vous familiariser avec les différentes étapes de l'analyse d'un terme médical (voir le chapitre 1). Décomposez le terme proposé (préfixe, radical, suffixe) et don-nez-en la définition en vous fondant sur la signification de ses éléments de base.

1. Artériosclérose _____

_____

2. Artérite _____

_____

3. Asystolie _____

_____

4. Bradycardie _____

_____

5. Cardioplégie _____

_____

6. Cardiovasculaire _____

_____

7. Électrocardiogramme _____

_____

8. Électrocardiographie _____

_____

9. Endocardite _____

_____

10. Hémogramme _____

_____

11. Hémolyse _____

_____

12. Lymphangite _____

_____

13. Péricardite _____

_____

14. Phlébite _____

_____

15. Phlébographie _____

_____

16. Tachycardie _____

_____

EXERCICE DE LECTURE DIRIGÉE

Trouvez dans le texte ci-dessous les 17 termes médicaux qui font référence au système cardiovasculaire, au sang et au système lymphatique. Analysez-les à l'aide des quatre étapes présentées au chapitre 1. Décomposez le terme trouvé (préfixe, radical, suffixe) et donnez-en la définition en vous fondant sur la signification de ses éléments de base.

■ ■ REMARQUE

Pour mieux intégrer vos apprentissages, vous pourrez aussi rechercher dans ce texte d'autres termes médicaux, qui ne font pas référence au système cardiovasculaire, au sang et au système lymphatique.

■ ■ RÉSUMÉ DU DOSSIER

M. Ovide Tremblay, 75 ans, s'est présenté à l'urgence avec des douleurs thoraciques rétrosternales, irradiant vers les mâchoires et le bras gauche. Le patient était pâle et souffrait de dyspnée.

Le patient a été examiné par le cardiologue de garde qui a demandé un électrocardiogramme et le dosage des enzymes cardiaques.

Les résultats ont été les suivants:

• Électrocardiogramme : infarctus aigu du myocarde.
• Dosage des enzymes cardiaques : 2 000 U/L.

Le patient a été admis à l'unité des soins intensifs coronariens avec un diagnostic d'infarctus aigu du myocarde. On a commencé sans tarder à lui administrer une oxygénothérapie.

Le séjour du patient aux soins intensifs s'est déroulé de manière satisfaisante et, après quelques jours, on a pu l'admettre à l'unité de cardiologie.

Durant son séjour dans cette unité, le patient a subi des examens d'imagerie médicale qui ont révélé les résultats suivants:

• Échocardiographie : Diminution de la fonction ventriculaire gauche.
• Coronarographie : 75 % de sténose sur la coronaire droite et 80 % de sténose sur la coronaire gauche.
• Ventriculographie : Diminution de la fraction d'éjection du ventricule gauche.

Compte tenu des résultats obtenus, le patient a été transféré à l'unité de chirurgie cardiovasculaire en raison d'un diagnostic de sténose coronarienne importante. Il a été par la suite soumis à un pontage aortocoronarien sous hypothermie à l'aide d'un matériel de circulation extracorporelle.

Durant les premiers jours qui ont suivi l'intervention chirurgicale, on a diagnostiqué une anémie ferriprive postopératoire qui a été traitée par la transfusion de deux culots globulaires, accompagnée de l'administration de sulfate ferreux.

L'état du patient s'étant amélioré, il a pu rentrer chez lui; il sera suivi en clinique externe de cardiologie.

1. _____
   _____

2. _____
   _____

3. _____
   _____

4. _____
   _____

5. _____
   _____

6. _____
   _____

7. _____
   _____

8. _____
   _____

9. _____
   _____

10. _____
    _____

11. _____
    _____

12. _____
    _____

13. _____
    _____

14. _____

_____

15. _____

_____

16. _____

_____

17. _____

_____

EXERCICE D'ASSOCIATION

Pour chacune des définitions suivantes, trouvez le terme médical exact à partir de la liste ci-dessous contenant différents éléments de terminologie. Pour chacun des éléments qui composent le terme médical approprié, déterminez s'il s'agit d'un préfixe, d'un radical ou d'un suffixe.

■ ■ REMARQUE

Un élément peut être utilisé plusieurs fois.

ANGI	CARDIO	ÉMIE	GRAPHIE	IQUE	OLE	PHOBIE
AORTO	ECTASIE	EUX	HÉMO	LIP	OME	SCOPIE
ARTÉRI	ECTOMIE	GLOBINE	HYPER	LYMPH	PATHIE	TOMIE
ARTÉRIO	EMBOL	GLYC	HYPO	MÉGALIE	PHLÉB	VEIN

Définitions :

1. Radiographie de l'aorte après injection d'un produit de contraste : _____

2. Une très petite artère : _____

3. Incision chirurgicale d'une artère : _____

4. Cœur volumineux : _____

5. Ablation chirurgicale du thrombus qui a provoqué l'embolie : _____

6. Protéine du sang qui lui donne sa couleur : _____

7. Crainte morbide du sang : _____

8. Augmentation de la quantité totale des lipides sanguins : _____

9. Diminution de la quantité de glucose sanguin : _____

10. Tumeur qui se développe au niveau des vaisseaux lymphatiques : _____

11. Dilatation d'une veine : _____

12. Qui se rapporte aux veines : _____

Mots croisés

SYSTÈME CARDIOVASCULAIRE, SANG ET SYSTÈME LYMPHATIQUE

Horizontalement

1. Diminution du taux de plaquettes dans le sang.

3. Nombre anormalement bas de leucocytes, d'érythrocytes et de plaquettes – Forme d'anémie résultant d'une mauvaise absorption de la vitamine B_{12} au niveau de l'estomac.

5. Radical qui signifie anévrisme – Inflammation d'une veine.

7. Radical qui signifie calcium.

9. Rythme cardiaque accéléré – Perturbation de la formation de l'impulsion électrique, de sa conduction intracardiaque ou des deux à la fois, pouvant altérer la fréquence et le rythme cardiaques.

13. Inflammation de la paroi des vaisseaux sanguins.

15. Radical qui signifie sang – Arrêt de l'activité du muscle cardiaque.

19. Nombre anormalement bas de globules blancs.

Verticalement

1. Terme synonyme de l'hyperurémie – Obstruction brutale d'un vaisseau par un caillot.

3. Réunion de deux vaisseaux sanguins par une greffe vasculaire dans le but de rétablir la circulation – Taux de calcium sanguin.

5. Tache (noire, brune, jaunâtre) produite par l'épanchement de sang dans le tissu sous-cutané, habituellement due à un traumatisme – Douleur thoracique pouvant irradier vers le cou, la mâchoire inférieure ou les bras, due à la mauvaise irrigation du cœur.

7. Toute affection des vaisseaux sanguins ou lymphatiques.

9. Radical qui signifie cœur.

11. Affection qui se caractérise par des concentrations d'hémoglobine plus faibles que la normale, due au nombre insuffisant d'érythrocytes dans la circulation – Radical qui signifie aorte.

13. Anémie par perte de sang – Radical qui signifie lymphe.

15. Caillot de sang qui s'est détaché – Inflammation aiguë des vaisseaux lymphatiques.

17. Radical qui signifie caillot sanguin.

19. Radical qui signifie sang – Radical qui signifie pointe du cœur.

21. Hémorragie des petits capillaires.

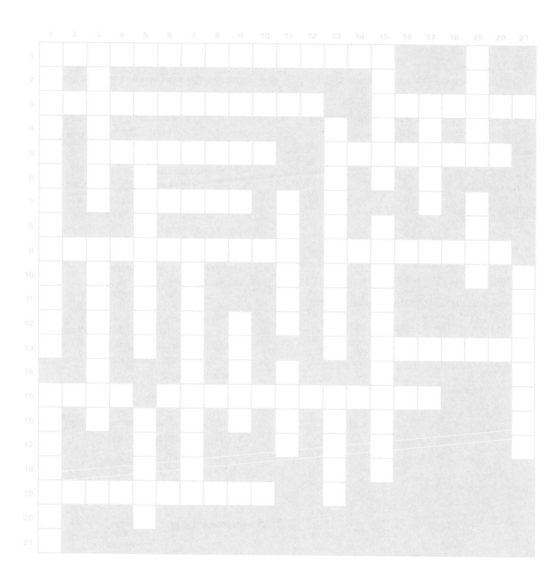

TESTEZ VOS CONNAISSANCES

MaBiblio > MonLab > Exercices >   Ch05 > Questions vrai ou faux
                                        > Questions à choix multiples
                                        > Questions à menu déroulant

MaBiblio > MonLab > Documents >   Ch05 > Exercice d'analyse de termes
                                        > Dictée médicale

6

Le système **respiratoire**

| Objectif pédagogique | Connaître les termes médicaux liés au système respiratoire |

Définitions

Pour commencer, voici la définition de quelques termes qui se rapportent au système respiratoire.

EXPIRATION

Phase de la respiration pendant laquelle les gaz sortent des poumons.

INSPIRATION

Phase de la respiration pendant laquelle l'air entre dans les poumons.

RESPIRATION

Processus qui se divise en deux grandes étapes, soit la ventilation (circulation de l'air à travers les différents organes respiratoires) et l'hématose (transformation dans les poumons du sang veineux chargé de gaz carbonique en sang artériel chargé d'oxygène).

RESPIRATOIRE

Qui est propre à la respiration, qui est de la nature de la respiration.

SYSTÈME RESPIRATOIRE

Ensemble des organes qui assurent la fonction respiratoire chez l'être humain.

Les organes du système respiratoire sont les voies respiratoires constituées par les fosses nasales, le pharynx, le larynx et la trachée. Les bronches et les poumons, enveloppés par la plèvre, complètent ce tableau.

EXERCICE DE TERMINOLOGIE

Vous trouverez à la page suivante une liste de termes médicaux importants qu'il vous faut connaître au sujet du système respiratoire. Associez chacun d'entre eux à la définition correspondante.

Asbestose
Asthme
Atélectasie
Bronchectasie
Dyspnée
Emphysème pulmonaire
Expectoration

Hyperventilation
Laryngite
Lobectomie
Pharyngite
Pleurésie
Pneumologie
Pneumonie

Pyothorax
Râle
Sifflement
Tirage
Trachéite
Tuberculose pulmonaire

1. Inflammation du larynx attribuable à une sollicitation extrême des cordes vocales, à l'exposition à des irritants ou à des microorganismes infectieux.

2. Difficulté respiratoire qui se manifeste par une respiration laborieuse ou un essoufflement.

3. Inflammation du parenchyme pulmonaire due à une infection.

4. Fibrose pulmonaire diffuse provoquée par l'exposition aux fibres d'amiante.

5. Inflammation de la trachée.

6. Bruit anormal entendu lors de la respiration.

7. Spécialité médicale qui étudie le poumon et ses maladies.

8. Affection qui peut être déclenchée par plusieurs mécanismes et dont l'issue clinique courante est l'obstruction réversible des voies aériennes.

9. Inflammation de la gorge, habituellement d'origine virale ou bactérienne.

10. Ablation chirurgicale d'un lobe du poumon.

11. Bruit anormal perçu pendant la respiration.

12. Dilatation chronique d'une ou de plusieurs bronches.

13. Absence d'air dans les alvéoles; collapsus dû à l'hypoventilation, à l'obstruction des voies respiratoires ou à leur compression.

14. Inflammation aiguë ou chronique de l'enveloppe des poumons (plèvre).

15. Affection des voies respiratoires caractérisée par la destruction des parois des alvéoles surdistendues.

16. Affection infectieuse contagieuse causée par la bactérie *Mycobacterium tuberculosis*. Elle se manifeste par des accès de toux, de la fatigue, de la fièvre et l'amaigrissement.

17. Sécrétions muqueuses des poumons, des bronches et de la trachée.

18. Dépression anormale du thorax au-dessus ou au-dessous du sternum pendant de fortes inspirations.

19. Présence de liquide purulent entre les deux feuillets de la plèvre.

20. Respirations très profondes et rapides.

EXERCICE PORTANT SUR LES RADICAUX

À partir de la liste de radicaux ci-dessous, trouvez les 20 qui se rapportent strictement au système respiratoire et les termes médicaux qu'ils définissent.

Adén	Diastol	Phtisi	Pulmo	Thrombo
Adénoïd	Fécal	Pil	Rect	Tonsill
Aéro	Laryng	Pleur	Rup	Topo
Alvéol	Lymph	Pnée	Sphygmo	Traché
Ambly	Næv	Pneumat	Spiro	Trachél
Ampullo	Oxy	Pneumo	Sterco	Turg
Amygdal	Pepsie	Proct	Strid	Vas
Bronch	Pharyng	Puerpér	Thoraco	Vent

Radical	Terme

EXERCICE D'ANALYSE LEXICOGRAPHIQUE

Voici quelques termes médicaux reliés au système respiratoire. Cet exercice vous permettra de vous familiariser avec les différentes étapes de l'analyse d'un terme médical (voir le chapitre 1). Décomposez le terme proposé (préfixe, radical, suffixe) et donnez-en la définition en vous fondant sur la signification de ses éléments de base.

1. Alvéolite _____

_____

2. Amygdalectomie _____

_____

3. Amygdalite _____

_____

4. Anoxémie _____

_____

5. Anoxie _____

_____

6. Bronchite _____

_____

7. Bronchospasme _____

_____

8. Hémopneumothorax _____

_____

9. Hémothorax _____

_____

10. Laryngotomie _____

_____

11. Pneumothorax _____

_____

12. Thoracocentèse _____

_____

13. Trachéostomie _____

_____

14. Trachéotomie _____

_____

EXERCICE DE LECTURE DIRIGÉE

Trouvez dans le texte ci-dessous les huit termes médicaux qui font référence au système respiratoire. Analysez-les à l'aide des quatre étapes présentées au chapitre 1. Décomposez le terme trouvé (préfixe, radical, suffixe) et donnez-en la définition en vous fondant sur la signification de ses éléments de base.

■■ REMARQUE

Pour mieux intégrer vos apprentissages, vous pourrez aussi rechercher dans ce texte d'autres termes médicaux, qui ne font pas référence au système respiratoire.

■■ RÉSUMÉ DE LA VISITE ANNUELLE

Nom du patient :

Lebeau, Roger.

Âge :

60 ans.

Antécédents personnels :

Tabagisme (deux paquets de cigarettes par jour, depuis 25 ans).
Maladie de Crohn sous traitement.
Maladie pulmonaire obstructive chronique traitée par des médicaments.
Maladie cardiaque artérioscléreuse traitée par des médicaments.

Résultats de l'examen médical :

- Hémoptysie depuis deux mois.
- Toux chronique depuis quatre mois.
- Dyspnée depuis quelques mois.
- Expectorations +++.
- Anorexie depuis quelques jours.
- Amaigrissement depuis quelques mois (perte de poids totale de 15 kilos).
- Respiration sifflante +++.
- Formule sanguine : Baisse d'hémoglobine à 98 g/L (anémie).
  Vitesse de sédimentation accrue.
- Biochimie du sang : Hypocalcémie.
  Hyponatrémie.
  Hypochlorémie.
- Radiographie pulmonaire : Nodule solide, dense, arrondi, au niveau du lobe inférieur droit.
- Scintigraphie pulmonaire (avec perfusion) : Diminution de la perfusion au niveau du lobe inférieur droit. Raison : Masse importante de 3 cm sur 3 cm, évoquant un cancer pulmonaire.
- Gazométrie sanguine : Diminution marquée d'oxygène.
- Tomodensitométrie thoracique : Masse de 3 cm sur 3 cm dans le lobe inférieur droit (cancer probable) avec envahissement des ganglions adjacents (métastases ?).

Diagnostic :

Cancer probable atteignant le lobe inférieur droit du poumon, probablement métastasé.

Conduite à tenir :

Adresser le patient à un pneumologue pour un suivi par bronchoscopie avec biopsie de la lésion.

Si le résultat de la biopsie est positif, selon la taille de la tumeur, procéder à une lobectomie pulmonaire ou à une pneumonectomie avec excision des ganglions lymphatiques.

Si la tumeur est trop grande et que l'intervention chirurgicale est impossible, envisager un traitement palliatif par chimiothérapie et/ou radiothérapie.

1. _____

_____

2. _____

_____

3. _____

_____

4. _____

_____

5. _____

_____

6. _____

_____

7. _____

_____

8. _____

_____

EXERCICE D'ASSOCIATION

Pour chacune des définitions suivantes, trouvez le terme médical exact à partir de la liste ci-dessous contenant différents éléments de terminologie. Pour chacun des éléments qui composent le terme médical approprié, déterminez s'il s'agit d'un préfixe, d'un radical ou d'un suffixe.

■ ■ REMARQUE

Un élément peut être utilisé plusieurs fois.

AL	GRAMME	PÉNIE	SCOPIE
ALGIE	IQUE	PLÉGIE	SPIRO
AMYGDALO	ITE	PLEUR	THORAC
BRONCHI	LARYNG	PLEURO	THORACO
BRONCHO	LARYNGO	PNÉE	TOME
CYTE	OL	PNEUMO	TOMIE
ECTOMIE	PATHIE	SCOPE	TRACHÉ

Définitions :

1. Instrument chirurgical qui sert à sectionner les amygdales :

2. Inflammation des bronchioles :

3. Examen visuel des bronches :

4. Paralysie complète ou incomplète des muscles du larynx :

5. Instrument qui permet l'examen visuel du larynx :

6. Qui se rapporte à la plèvre :

7. Incision chirurgicale de la plèvre :

8. Cellule épithéliale qui tapisse les alvéoles pulmonaires :

9. Tracé obtenu avec le spirographe :

10. Qui se rapporte au thorax :

11. Incision chirurgicale du thorax :

12. Inflammation de la trachée :

Mots croisés

SYSTÈME RESPIRATOIRE

Horizontalement

1. Abouchement chirurgical de la trachée à la peau.

3. Bruit anormal entendu lors de la respiration – Augmentation de la quantité d'air inspiré qui devient excessive par rapport aux besoins en oxygène et qui se manifeste par des respirations très profondes et rapides.

5. Affection des voies respiratoires, caractérisée par la destruction des parois des alvéoles surdistendues.

7. Insuffisance de l'apport en oxygène aux organes et aux tissus vivants – Accumulation de pus dans la cavité pleurale.

9. Radical qui signifie respiration – Radical qui signifie bronche.

11. Transformation dans les poumons du sang veineux chargé de gaz carbonique en sang artériel chargé d'oxygène.

13. Radical qui signifie thorax.

15. Spécialité médicale qui étudie les maladies du poumon et leur traitement – Respiration anormalement rapide.

17. Radical qui signifie air, gaz, poumon.

19. Difficulté respiratoire qui se manifeste par une respiration laborieuse ou des essoufflements – Radical qui signifie air, gaz, poumon.

Verticalement

1. Dépression anormale du thorax au-dessus ou au-dessous du sternum pendant de fortes inspirations – Radical qui signifie respiration – Radical qui désigne la tuberculose pulmonaire (ancien nom de cette maladie).

3. Excision chirurgicale d'une partie ou de l'ensemble du larynx et des structures environnantes.

5. Affection qui peut être déclenchée par plusieurs mécanismes et dont l'issue clinique habituelle est l'obstruction réversible des voies aériennes.

7. Radical qui signifie oxygène – Radical qui signifie plèvre – Radical qui signifie larynx.

13. Ablation chirurgicale d'un lobe du poumon.

15. Tests d'exploration de la fonction respiratoire permettant de mesurer des volumes pulmonaires et des débits ventilatoires.

17. Respiration brève – Inflammation du larynx.

19. Qui se rapporte au poumon.

21. Arrêt de la respiration – Fibrose pulmonaire diffuse provoquée par l'exposition aux fibres d'amiante.

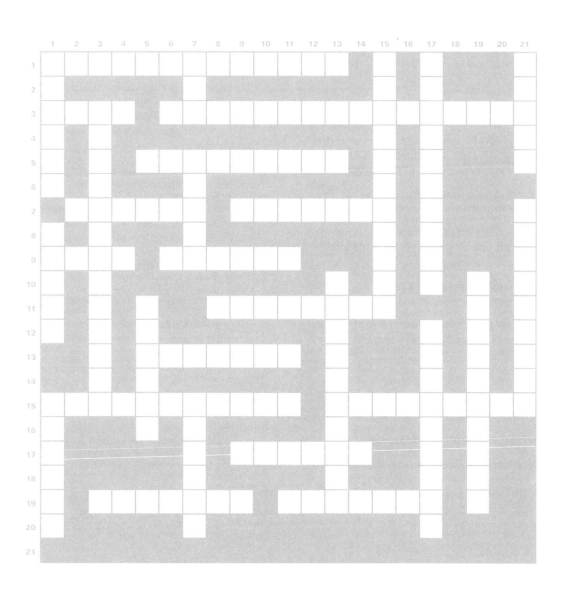

TESTEZ VOS CONNAISSANCES

MaBiblio > MonLab > Exercices >   Ch06 > Questions vrai ou faux
                                           > Questions à choix multiples
                                           > Questions à menu déroulant
MaBiblio > MonLab > Documents >   Ch06 > Exercice d'analyse de termes
                                           > Dictée médicale

CHAPITRE 7

Le système **urinaire** et le système **génital**

| Objectif pédagogique | Connaître les termes médicaux liés aux systèmes urinaire et génital |

Définitions

Pour commencer, voici la définition de quelques termes qui se rapportent aux systèmes urinaire et génital.

SYSTÈME GÉNITAL FÉMININ

Ensemble des organes assurant, entre autres, la fonction de reproduction de la femme. Le système génital féminin se compose d'organes génitaux externes et internes.

SYSTÈME GÉNITAL MASCULIN

Ensemble des organes assurant, entre autres, la fonction de reproduction de l'homme. Contrairement au système génital de la femme, celui de l'homme est étroitement relié au système urinaire. Les organes génitaux sont notamment les canaux déférents, les épididymes, le pénis, la prostate, les testicules et les vésicules séminales.

ORGANES GÉNITAUX EXTERNES

Chez la femme, les organes génitaux externes sont les glandes de Bartholin, les grandes lèvres, les petites lèvres et la vulve.

ORGANES GÉNITAUX INTERNES

Chez la femme, les organes génitaux internes sont les ovaires, les trompes de Fallope (ou utérines), l'utérus et le vagin.

SYSTÈME URINAIRE

Ensemble des organes qui participent à la production d'urine et qui servent à son évacuation de l'organisme. Ce système est composé des reins, des uretères, de l'urètre et de la vessie.

EXERCICE DE TERMINOLOGIE

Vous trouverez à la page suivante une liste de termes médicaux importants qu'il vous faut connaître au sujet des systèmes urinaire et génital. Associez chacun d'entre eux à la définition correspondante.

Avortement

Balanite

Cervicite

Césarienne

Chorio-amniotite

Curetage de l'utérus

Cystocèle

Cystorraphie

Dilatation de l'utérus

Endométriose

Endométrite

Grossesse ectopique

Hydrocèle

Hydronéphrose

Hyperplasie bénigne de la prostate

Hystérectomie

Insuffisance rénale

Multiparité

Oligohydramnios

Phimosis

Polyhydramnios

Prééclampsie

Priapisme

Prostatite

Rectocèle

Rétention placentaire

Salpingectomie

Synéchie utérine

Vaginisme

Vasectomie

1.	Interruption volontaire de la grossesse ou perte des produits de la conception avant que le fœtus ne soit viable.
2.	Inflammation de la prostate.
3.	Contraction spasmodique involontaire et douloureuse des muscles vaginaux et périvaginaux au moment de la pénétration.
4.	Faiblesse de la paroi vaginale antérieure, qui entraîne une hernie de la vessie dans le vagin.
5.	Étroitesse du prépuce qui l'empêche de se rétracter sur le gland; affection d'origine congénitale ou due à une inflammation et à un œdème.
6.	Infection de l'utérus et des trompes utérines (ou trompes de Fallope), en général transmise sexuellement.
7.	Accolement des deux parois de la cavité utérine.
8.	Inflammation du gland du pénis.
9.	Aussi appelée stérilisation masculine; ligature et dissection d'une partie des conduits déférents, avec ou sans ablation d'un segment de ceux-ci, pour empêcher que les spermatozoïdes passent des testicules à l'urètre.
10.	Inflammation du col de l'utérus.
11.	Érection involontaire et prolongée du pénis, provoquée par des facteurs vasculaires ou neurologiques.
12.	Grossesse dans laquelle l'ovule fécondé s'implante ailleurs que dans l'endomètre, par exemple dans la trompe utérine, l'ovaire, l'abdomen ou le col de l'utérus.
13.	Ablation chirurgicale de l'utérus.

14.	Opération qui consiste à vider la cavité utérine de son contenu, notamment après un avortement, à l'aide d'un instrument chirurgical appelé curette.
15.	Maladie gravidique qui consiste en une insuffisance de liquide amniotique.
16.	Affection aiguë ou chronique des reins devenus incapables d'extraire de l'organisme les déchets métaboliques et de remplir leur fonction de régulation.
17.	Terme qui désigne l'état d'une femme qui a accouché plusieurs fois.
18.	Saillie de la paroi antérieure du rectum dans le vagin.
19.	Augmentation du diamètre du col utérin par voie chirurgicale au moyen d'un dilatateur, en vue du curetage de l'utérus.
20.	Persistance du placenta en totalité ou en partie dans la cavité utérine après l'accouchement.
21.	Augmentation ou hypertrophie non cancéreuse de la prostate.
22.	Ablation chirurgicale totale ou partielle de l'une ou des deux trompes utérines.
23.	Épanchement de liquide généralement observé dans la tunique vaginale du testicule, mais pouvant également se produire dans le cordon spermatique.
24.	Dilatation du bassinet et des calices de l'un ou des deux reins, causée par une obstruction.
25.	Maladie gravidique due à l'augmentation de la quantité de liquide amniotique.
26.	Inflammation des deux membranes qui protègent le fœtus durant la grossesse.
27.	Maladie gravidique survenant après la vingtième semaine de grossesse, s'accompagnant d'hypertension artérielle, de protéinurie et de prise de poids avec œdème.
28.	Prolifération anormale de tissu endométrial qui entraîne de la douleur lors des menstruations, crée des cicatrices et peut mener à la stérilité.
29.	Incision chirurgicale de l'abdomen et de l'utérus dans le but d'en extraire le fœtus.
30.	Suture chirurgicale au niveau de la vessie, habituellement à la suite d'une lacération.

EXERCICE PORTANT SUR LES RADICAUX

À partir de la liste de radicaux ci-dessous, trouvez les 20 qui se rapportent strictement aux systèmes urinaire et génital et les termes médicaux qu'ils définissent.

Amnio	Faci	Hil	Mictio	Urétér
Brachi	Galacto	Homéo	Œsophag	Urétr
Callo	Géno	Hystér	Prostat	Utéro
Centro	Glomérul	Lacrym	Psoro	Uv
Colpo	Granul	Livid	Puerpér	Vago
Cyst	Gust	Mast	Pyél	Vésic
Dips	Gynéco	Métr	Rubé	Vomi
Épisio	Hémo	Micro	Salping	Vulv

Radical	Terme

EXERCICE D'ANALYSE LEXICOGRAPHIQUE

Voici quelques termes médicaux reliés aux systèmes urinaire et génital. Cet exercice vous permettra de vous familiariser avec les différentes étapes de l'analyse d'un terme médical (voir le chapitre 1). Décomposez le terme proposé (préfixe, radical, suffixe) et donnez-en la définition en vous fondant sur la signification de ses éléments de base.

1. Cervicite _____

_____

2. Cystite _____

_____

3. Cysto-urétroscopie _____

_____

4. Glomérulonéphrite _____

_____

5. Hystéroscopie _____

_____

6. Leucorrhée _____

_____

7. Mastite _____

_____

8. Néphropathie _____

_____

9. Oligospermie _____

_____

10. Pyélonéphrite _____

_____

11. Salpingite _____

_____

12. Urétrite _____

_____

13. Vasovasostomie _____

_____

EXERCICE DE LECTURE DIRIGÉE

Trouvez dans les textes ci-dessous les 34 termes médicaux qui font référence aux systèmes urinaire et génital. Analysez-les à l'aide des quatre étapes présentées au chapitre 1. Décomposez le terme trouvé (préfixe, radical, suffixe) et donnez-en la définition en vous fondant sur la signification de ses éléments de base.

■■ REMARQUE

Pour mieux intégrer vos apprentissages, vous pourrez aussi rechercher dans ce texte d'autres termes médicaux, qui ne font pas référence aux systèmes urinaire et génital.

CAS N⁰ 1

Nom du patient: **Âge:**

Laflamme, Victor.   59 ans.

Raison de l'admission:

Hypertrophie bénigne de la prostate.

Histoire de la maladie:

Le patient a été vu en 2001 pour les problèmes suivants:

- Pollakiurie nocturne, avec trois ou quatre mictions par nuit.
- Dysurie importante, avec un retard initial et un jet faible nécessitant une poussée abdominale.
- Impériosité nette, avec besoin impérieux intense, mais toujours contrôlé.

Les différents examens ont donné les résultats suivants:

- Toucher rectal: volume accru de la prostate, sans nodule suspect et indolore.
- PSA: 1,8 U/L et créatininémie normale.
- Échographie prostatique: prostate dilatée, sans zone hypo-échogène. Pas de résidu postmictionnel ni de dilatation de la partie supérieure du système.
- Cysto-urétroscopie: absence de toute lésion endovésicale.

Le patient est revenu voir le médecin en 2003 en raison de l'aggravation de la symptomatologie:

- Vessie incomplètement vide.
- Hématurie, accompagnée parfois de rétention urinaire.
- Toucher rectal: le volume de la prostate a beaucoup augmenté; présence d'un résidu postmictionnel de 50 mL.

Conduite à tenir:

En raison de la dégradation de l'état du patient et de la présence d'un résidu postmictionnel, une intervention chirurgicale s'impose. On propose au patient une résection transurétrale de la prostate et on l'informe du risque inhérent à cette intervention, soit l'éjaculation rétrograde.

1. _____

   _____

2. _____

   _____

3. _____

   _____

4. _____

   _____

5. _____

   _____

6. _____

   _____

7. _____

_____

8. _____

_____

9. _____

_____

10. _____

_____

CAS N° 2

Nom de la patiente :

Perreault, Suzette.

Âge :

47 ans.

Raison de la consultation :

Douleurs et hémorragies génitales.

Histoire de la maladie :

La patiente est venue consulter le médecin en raison de douleurs prémenstruelles avec dysménorrhée secondaire majeure et ménorragies abondantes. Le toucher vaginal révèle un utérus hypertrophié.

Antécédents familiaux :

Père et mère décédés.

Antécédents personnels :

- Appendicectomie et kystectomie de l'ovaire gauche à 18 ans.
- Accouchement par voie vaginale et phlébite puerpérale à 20 ans.
- Adénofibrome du sein droit, confirmé par biopsie, et qui a régressé spontanément.
- Contraception par stérilet, compliquée d'une infection génitale qui en a dicté le retrait.
- Chlamydiose avec sérologie positive, traitée par antibiothérapie pendant 30 jours.
- Lésion de dysplasie modérée au niveau du col utérin, diagnostiquée par biopsie sous colposcopie et traitée par conisation.
- Stérilisation définitive par électrocoagulation des trompes utérines à l'âge de 38 ans.

Résultats des examens d'exploration :

- Échographie vaginale : Asymétrie et hypertrophie de la paroi postérieure, avec lésion hyperéchogène mal délimitée. La muqueuse est d'épaisseur normale.
- Hystérosalpingographie avec produit de contraste : Aspect en nid d'abeille prédominant sur la corne du côté gauche. Hydrosalpinx noté du côté droit.
- Hystéroscopie avec dilatation et curetage de l'utérus : Hyperplasie simple de l'endomètre.

Conduite à tenir :

La patiente sera suivie régulièrement en clinique externe.

11. _____

_____

12. _____

_____

13. _____

_____

14. _____

_____

15. _____

_____

16. _____

_____

17. _____

_____

18. _____

_____

19. _____

_____

20. _____

_____

21. _____

_____

22. _____

_____

23. _____

_____

CAS N° 3

Résumé du dossier :

Mme Josette Sanschagrin, 28 ans, est une multigeste qui en est à sa troisième grossesse. Elle a eu deux accouchements tout à fait normaux. Date de la dernière menstruation inconnue.

La patiente mesure 1,60 m et a pris 12 kilos pendant sa grossesse.

Rupture spontanée des membranes dans la nuit du 2 juin. La patiente a été immédiatement conduite en salle d'accouchement où l'obstétricien de garde a procédé à un examen physique dont les résultats ont été les suivants :

- Hauteur utérine à 28 cm.
- Pression artérielle à 110/70 mm Hg.
- Pouls à 76/min.
- Tête fœtale haute.
- Col utérin : perméable à deux doigts, épais, long et postérieur.

Le travail s'est enclenché et a progressé normalement. Le col s'est complètement dilaté à 8 heures du matin. Après 30 minutes de poussées, la tête était à –2 cm. Il a donc fallu utiliser des ventouses obstétricales et effectuer une épisiotomie médiolatérale droite. Naissance d'une fille en bonne santé, qui pesait 3 680 g.

Une heure après l'accouchement, l'obstétricien a noté un hématome périvaginal droit et une douleur sus-pubienne droite. Il a immédiatement examiné la patiente et ses constatations ont été les suivantes :

- État général altéré avec choc hypovolémique (pression artérielle de 50/25 mm Hg) accompagné d'un pouls filant.
- Téguments et muqueuses pâles.
- Tachycardie, forte dyspnée avec absence de souffle et de râle.
- Très forte douleur hypogastrique, accompagnée d'une hémorragie génitale intense.
- Toucher vaginal : bombement de la paroi droite du vagin.

Le médecin a diagnostiqué un traumatisme des parties molles au cours de l'accouchement. La formule sanguine a donné les résultats suivants :

- Leucocytes : $18,7 \times 10^9$/L
- Érythrocytes : $3,18 \times 10^{12}$/L
- Hémoglobine :   75 g/L
- Hématocrite :   0,27 L/L
- Plaquettes : 255×10^9/L
- Groupe sanguin :   A Rh+

Le 2 juin, à 10 heures, la patiente a été conduite de nouveau en salle d'opération où elle a été soumise à une suture de la paroi vaginale droite jusqu'au cul de sac latéral, accompagnée d'une transfusion de deux culots globulaires. La patiente a ensuite été reconduite en salle de réveil.

À 11 heures 30, pendant que la patiente était encore en salle de réveil, on a noté une voussure de la partie droite de l'hypogastre ; la douleur s'était intensifiée. Le chirurgien a diagnostiqué un hématome pelvien et a demandé que la patiente soit ramenée en salle d'opération pour la soumettre à une laparotomie exploratrice sus-pubienne et sous-ombilicale.

À la laparotomie, on a découvert un gros hématome occupant le côté droit du pelvis, entre les faisceaux des releveurs et la paroi vaginale, ainsi que dans les feuillets du ligament large. Le chirurgien a alors procédé à l'évacuation de l'hématome, qui était d'environ 450 mL. L'uretère droit a été individualisé, et l'artère hypogastrique droite, disséquée. On a noté un saignement +++ de la veine iliaque interne. On a suturé la veine avec Prolène. Durant l'intervention chirurgicale, on a aussi transfusé trois culots globulaires. Enfin, on a procédé au drainage des faisceaux pubovaginaux des releveurs de l'anus ; le drain sera retiré au cours du troisième jour postopératoire. La paroi abdominale a été fermée avec drainage du cul de sac de Douglas.

Dans les journées qui ont suivi l'intervention, on a administré à la patiente trois autres transfusions de culots globulaires et une antibiothérapie de routine.

À la sortie de l'hôpital, on a prescrit à Mme Sanschagrin une antibiothérapie et du sulfate ferreux. Elle sera suivie par son obstétricien qui lui a fixé un rendez-vous dans quatre semaines.

24. _____

25. _____

26. _____

27. _____

28. _____

29. _____

30. _____

31. _____

32. _____

33. _____

34. _____

EXERCICE D'ASSOCIATION

Pour chacune des définitions suivantes, trouvez le terme médical exact à partir de la liste ci-dessous contenant différents éléments de terminologie. Pour chacun des éléments qui composent le terme médical approprié, déterminez s'il s'agit d'un préfixe, d'un radical ou d'un suffixe.

■ ■ REMARQUE

Un élément peut être utilisé plusieurs fois.

AL	CERVIC	ÉPIDIDYM	MASTO	PROSTAT	RRHÉE
AMNIO	CLITORID	GALACTO	NÉPHRO	PYÉLO	STOMIE
BALAN	COLPO	ITE	ORCHIDO	RÉN	TOMIE
CÈLE	CYSTO	LITHO	PATHIE	RRAGIE	
CENTÈSE	ECTOMIE	LOGUE	PEXIE	RRAPHIE	

Définitions :

1. Ponction de l'utérus gravide :

_____

2. Inflammation de la muqueuse du gland :

_____

3. Qui se rapporte au col utérin :

_____

4. Ablation chirurgicale du clitoris :

_____

5. Saillie faite dans le vagin par le rectum ou par la vessie :

_____

6. Intervention chirurgicale qui consiste à suturer avec elle-même une portion de la muqueuse vaginale :

_____

7. Incision chirurgicale de la vessie pour en extraire des calculs :

_____

8. Intervention chirurgicale qui consiste à aboucher la vessie à la paroi abdominale :

_____

9. Inflammation de l'épididyme :

_____

10. Écoulement surabondant de lait :

_____

11. Affection/Maladie du sein :

_____

12. Médecin spécialiste des affections du rein :

_____

13. Fixation chirurgicale, dans les bourses, d'un testicule ectopique :

_____

Mots croisés

Horizontalement

1. Radical qui signifie chorion – Relatif à l'amnios.

3. Ablation chirurgicale totale ou partielle de l'une ou des deux trompes utérines – Radical qui signifie vessie.

5. Radical qui signifie menstruation – Quantité de calcium éliminée dans les urines.

7. Radical qui signifie sein.

9. Maladie de la grossesse, caractérisée par l'insuffisance du liquide amniotique.

11. Inflammation des parois du bassinet du rein – Début de la fonction menstruelle.

13. Radical qui signifie testicule – Radical qui signifie vagin.

15. Radical qui signifie urine – Radical qui signifie rein.

17. Radical qui signifie utérus.

19. Fixation chirurgicale de la vessie pour en corriger l'affaissement – Radical qui signifie périnée.

Verticalement

1. Faiblesse de la paroi vaginale antérieure qui fait saillir la vessie dans le vagin – Radical qui signifie accouplement.

3. Tumeur de l'utérus, habituellement bénigne, pouvant entraîner des règles irrégulières.

5. Radical qui signifie prostate.

7. Radical qui signifie femme – Ensemble des phénomènes qui concourent à la formation des ovules.

9. Radical qui signifie uriner – Collection séreuse située dans une trompe utérine ou dans les deux, dont les parois sont collées.

11. Radical qui signifie testicule – Inflammation de l'utérus.

13. Radical qui signifie hymen – Relatif au scrotum.

17. Radical qui signifie vagin – Radical qui signifie scrotum – Présence de pus dans les urines.

19. Radical qui signifie mamelon – Radical qui signifie sperme.

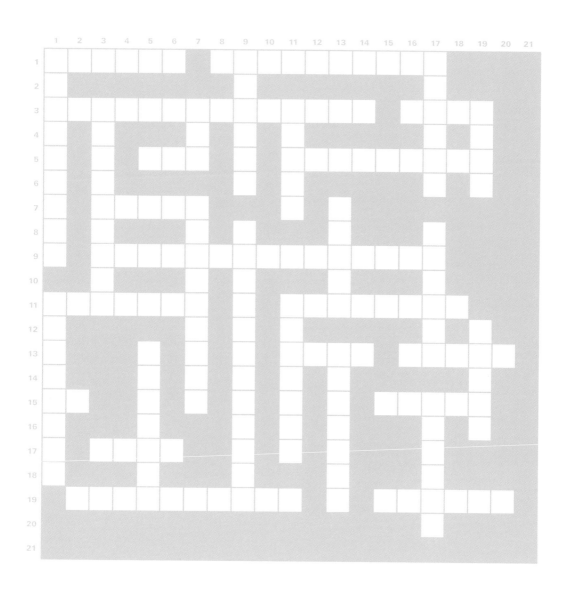

TESTEZ VOS CONNAISSANCES

MaBiblio > MonLab > Exercices >   Ch07 > Questions vrai ou faux
                                        > Questions à choix multiples
                                        > Questions à menu déroulant

MaBiblio > MonLab > Documents >   Ch07 > Exercice d'analyse de termes
                                        > Dictée médicale

CHAPITRE 8

Le système **musculaire**

Objectif pédagogique	Connaître les termes médicaux liés au système musculaire

Définitions

Pour commencer, voici la définition de deux termes qui se rapportent au système musculaire.

MUSCLES

Ensemble des organes du corps humain qui possèdent la propriété de se contracter et de se décontracter.

MUSCULAIRE

Qui est propre aux muscles, qui est de la nature des muscles.

EXERCICE DE TERMINOLOGIE

Vous trouverez ci-dessous une liste de termes médicaux importants qu'il vous faut connaître au sujet du système musculaire. Associez chacun d'entre eux à la définition correspondante.

Ankylose	Décontraction	Hallux rigidus	Spasme
Articulation	Entorse	Lumbago	Subluxation
Contraction	Goutte	Luxation	

1. Déchirure traumatique des ligaments et autres tissus mous qui entourent une articulation.

2. Douleur aiguë et brutale siégeant au niveau de la région lombaire, provoquée habituellement par un faux mouvement.

3. Diminution de la longueur ou du volume d'un muscle, entraînant le mouvement de l'articulation correspondante.

4. Contraction involontaire d'un muscle ou d'un groupe de muscles.

5. Perte de la mobilité d'une articulation.

6. Arthrose ankylosante de l'articulation du gros orteil.

7. Point de contact de deux os.

8. Déplacement partiel des surfaces articulaires.

9.	Ensemble d'affections reliées à une anomalie génétique du métabolisme des purines, qui provoque une hyperuricémie, siégeant le plus souvent au niveau des articulations.
10.	Déplacement des surfaces articulaires.
11.	Relâchement musculaire.

EXERCICE PORTANT SUR LES RADICAUX

À partir de la liste de radicaux ci-dessous, trouvez les 20 qui se rapportent strictement au système musculaire et les termes médicaux qu'ils définissent.

Anthropo	Calci	Éthyl	Morbid	Sarc
Aponévr	Capill	Faci	Muco	Stell
Apic	Capsul	Fasci	Muscul	Sthénie
Arthr	Chondr	Fœto	Myo	Synov
Articul	Cirrh	Gravid	Næv	Systol
Bil	Condyl	Hépatico	Nyct	Tend
Bucc	Desmo	Ligament	Oment	Téno
Burs	Embryo	Ménisc	Rhumat	Toxo

Radical	Terme

Radical	Terme

EXERCICE D'ANALYSE LEXICOGRAPHIQUE

Voici quelques termes médicaux reliés au système musculaire. Cet exercice vous permettra de vous familiariser avec les différentes étapes de l'analyse d'un terme médical (voir le chapitre 1). Décomposez le terme proposé (préfixe, radical, suffixe) et donnez-en la définition en vous fondant sur la signification de ses éléments de base.

1. Aponévrectomie _____

_____

2. Arthrite _____

_____

3. Arthrolyse _____

_____

4. Arthropathie _____

_____

5. Arthrose _____

_____

6. Bursite _____

_____

7. Cervicalgie _____

_____

8. Méniscectomie _____

_____

9. Myasthénie _____

_____

10. Myocarde _____

_____

11. Myopathie _____

_____

12. Polymyosite _____

_____

13. Synovectomie _____

_____

14. Synovite _____

_____

15. Tendinite _____

_____

16. Ténorraphie _____

_____

17. Ténosynovite _____

_____

EXERCICE DE LECTURE DIRIGÉE

Trouvez dans le texte ci-dessous les huit termes médicaux qui font référence au système musculaire. Analysez-les à l'aide des quatre étapes présentées au chapitre 1. Décomposez le terme trouvé (préfixe, radical, suffixe) et donnez-en la définition en vous fondant sur la signification de ses éléments de base.

■■ REMARQUE

Pour mieux intégrer vos apprentissages, vous pourrez aussi rechercher dans ce texte d'autres termes médicaux, qui ne font pas référence au système musculaire.

Raison de la consultation

Douleurs et gonflement au niveau de l'épaule droite.

Histoire de la maladie actuelle :

Mme Dorothée Thibodeau, 85 ans, souffre de douleurs à l'épaule droite depuis bientôt un mois. Ces douleurs sont présentes à la fois au repos et pendant les mouvements, et elles entraînent une gêne fonctionnelle. Depuis quinze jours, elle prend de la colchicine, mais son état ne s'améliore pas.

Antécédents familiaux :

Père et mère décédés.

Antécédents personnels :

Cancer du sein droit à l'âge de 62 ans, traité par une mastectomie partielle et des séances de radiothérapie.

Arthropathies bilatérales des genoux, traitées par l'implantation bilatérale de prothèses.

Péritonite appendiculaire à 79 ans.

Hypertension artérielle essentielle, traitée par du furosémide.

Maladie cardiaque artérioscléreuse traitée par Cardizem.

Examen physique :

- État subfébrile (38,2 °C).
- Volumineuse tuméfaction liquidienne de l'épaule droite.
- Synovite du poignet gauche.
- Souffle systolique de rétrécissement aortique, sans signe d'insuffisance aortique ni insuffisance cardiaque.
- Absence de tophus.

Résultats des examens d'exploration :

- Hyperleucocytose.
- Vitesse de sédimentation augmentée.
- PCR augmentée.
- Hyperuricémie.
- Hypercalcémie.
- Hypophosphorémie.
- Absence de facteur rhumatoïde.
- Ponction articulaire de la tuméfaction de l'épaule droite : Liquide sérosanguinolent, paucicellulaire, sans microcristaux et sans germes dépistés *de visu* et dans les cultures.
- Radiographie de l'épaule droite : Aplatissement de la tête humérale, luxation inférieure de la tête humérale, opacités des parties molles traduisant l'épanchement volumineux, avec des zones de calcifications évoquant une incrustation calcique de la synoviale.
- Radiographie de l'épaule gauche : Omarthrose évolutive secondaire à une rupture de la coiffe des rotateurs (ascension de la tête humérale), et calcifications périarticulaires probables.
- Radiographies du poignet et de la main gauches : Destruction des articulations radiocubitale inférieure et radiocarpienne, avec calcification du ligament triangulaire du carpe et du cartilage des articulations métacarpophalangiennes.
- Radiographies de la colonne lombaire : Scoliose dégénérative.

Diagnostic :

Chondrocalcinose articulaire

1. _____

_____

2. _____

_____

3. _____

_____

4. _____

_____

5. _____

_____

6. _____

_____

7. _____

_____

8. _____

_____

EXERCICE D'ASSOCIATION

Pour chacune des définitions suivantes, trouvez le terme médical exact à partir de la liste ci-dessous contenant différents éléments de terminologie. Pour chacun des éléments qui composent le terme médical approprié, déterminez s'il s'agit d'un préfixe, d'un radical ou d'un suffixe.

■ ■ REMARQUE

Un élément peut être utilisé plusieurs fois.

AB	CENTÈSE	GRAPHIE	RHUMATO
AIRE	CHONDRO	ITE	SCOPE
AL	CYTE	LIGAMENT	SCOPIE
ALGIE	DÈSE	LOGIE	TÉN
APONÉVROS	DUCTION	MALACIE	TÉNO
ARTHR	ECTOMIE	MÉNISC	TOME
ARTHRO	FASCI	MYO	TOMIE

Définitions :

1. Mouvement d'un membre visant à l'écarter du plan médian du corps :

_____

2. Inflammation d'une aponévrose :

_____

3. Douleur au niveau d'une articulation :

_____

4. Ponction d'une articulation :

_____

5. Radiographie d'une articulation après injection d'un produit opaque aux rayons X :

_____

6. Examen visuel de la cavité d'une articulation :

_____

7. Ramollissement des cartilages :

8. Ablation chirurgicale du fascia :

9. Qui se rapporte aux ligaments :

10. Cellule ou fibre musculaire :

11. Étude des différents types de rhumatisme :

12. Intervention chirurgicale réparatrice qui consiste à fixer un tendon à un os ou à un autre tendon :

Mots croisés

SYSTÈME MUSCULAIRE

Horizontalement

1. Mouvement qui rapproche une partie du corps du plan sagittal médian – Radical qui signifie tendon.

3. Adjectif en relation avec les tendons – Résection chirurgicale partielle ou totale d'un muscle.

5. Contraction involontaire, non rythmée, d'un muscle isolé ou d'un groupe musculaire – Inflammation d'un cartilage.

7. Douleur au niveau d'un tendon – Inflammation du fascia.

9. Radical qui signifie muscle – Toute affection des fibres musculaires.

11. Inflammation du tissu musculaire strié.

13. Fixation chirurgicale d'un tendon.

15. Suture chirurgicale de l'aponévrose – Radical qui signifie bourse.

17. Radical qui signifie ligament – Radical qui signifie aponévrose.

19. Cellule embryonnaire musculaire.

21. Ablation chirurgicale, partielle ou totale, de la synoviale – Radical qui signifie ménisque.

Verticalement

1. Incision chirurgicale d'une articulation – Douleur au niveau d'un muscle.

3. Déchirure des ligaments et autres tissus mous qui entourent une articulation – Radical qui signifie condyle.

5. Toute maladie inflammatoire auto-immune caractérisée par une atteinte, isolée ou non, des muscles striés – Radical qui signifie synoviale.

9. Radical qui signifie fascia – Radical qui signifie articulation.

11. Suture chirurgicale d'un tendon.

15. Inflammation d'un tendon – Hernie au niveau d'un muscle.

17. Inflammation aiguë ou chronique d'une bourse séreuse.

21. Ablation chirurgicale d'un tendon.

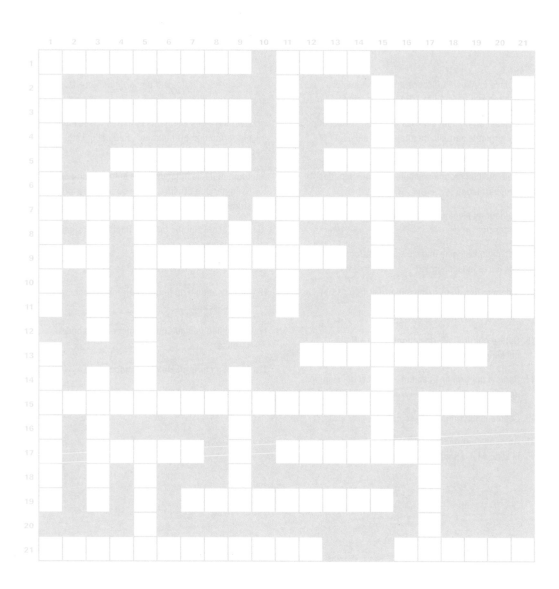

TESTEZ VOS CONNAISSANCES

MaBiblio > MonLab > Exercices >   Ch08 > Questions vrai ou faux
                                        > Questions à choix multiples
                                        > Questions à menu déroulant
MaBiblio > MonLab > Documents >   Ch08 > Exercice d'analyse de termes
                                        > Dictée médicale

9

Le système **squelettique**

| Objectif pédagogique | Connaître les termes médicaux liés au système squelettique |

Définitions

Pour commencer, voici la définition de deux termes qui se rapportent au système squelettique.

SQUELETTE

Ensemble des os qui forment la charpente du corps humain.

SQUELETTIQUE

Qui est propre au squelette, qui est de la nature du squelette.

EXERCICE DE TERMINOLOGIE

Vous trouverez ci-dessous une liste de termes médicaux importants qu'il vous faut connaître au sujet du système squelettique. Associez chacun d'entre eux à la définition correspondante.

Cyphose	Épiphyse	Fracture fermée	Hallux valgus	Ostéophyte	Périoste	Scoliose
Diaphyse	Fracture	Fracture ouverte	Lordose	Ostéoporose	Réduction de fracture	

1.	Accentuation de la courbure de la colonne vertébrale dans la région thoracique.
2.	Diminution de la densité de la masse osseuse qui devient poreuse et fragile.
3.	Membrane fibreuse, constituée de tissu conjonctif, qui recouvre les os.
4.	Déviation latérale graduelle du gros orteil, appelée « oignon » dans le langage courant.
5.	Rupture de la continuité d'un os (habituellement secondaire à un traumatisme).
6.	Accentuation de la courbure lombaire de la colonne vertébrale.
7.	Type de fracture qui n'entraîne pas de déchirure de la peau.
8.	Chacune des deux extrémités des os longs.
9.	Excroissance ou protubérance osseuse ; bec de perroquet.
10.	Corps d'un os long.
11.	Type de fracture où les fragments osseux font saillie dans la peau ou les muqueuses.
12.	Déviation latérale de la colonne vertébrale.
13.	Remise en position anatomique des fragments d'un os fracturé.

EXERCICE PORTANT SUR LES RADICAUX

À partir de la liste de radicaux ci-dessous, trouvez les 20 qui se rapportent strictement au système squelettique et les termes médicaux qu'ils définissent.

Adelphe	Clitorid	Dors	Gonad	Olécran	Rachi	Somat	Tars
Aponévr	Cost	Érythr	Hil	Osté	Rhumat	Spin	Tend
Blaste	Cox	Éthyl	Humér	Pepsie	Rotul	Spondyl	Therm
Carp	Cubi	Fémor	Lomb	Phalang	Salping	Stoma	Vertébr
Cléid	Dist	Gon	Mnès	Ptyal	Scapul	Strang	Vulv

Radical	Terme

EXERCICE D'ANALYSE LEXICOGRAPHIQUE

Voici quelques termes médicaux reliés au système squelettique. Cet exercice vous permettra de vous familiariser avec les différentes étapes de l'analyse d'un terme médical (voir le chapitre 1). Décomposez le terme proposé (préfixe, radical, suffixe) et donnez-en la définition en vous fondant sur la signification de ses éléments de base.

1. Ostectomie _____

_____

2. Ostéite _____

_____

3. Ostéochondrite _____

_____

4. Ostéomyélite _____

_____

5. Ostéotomie _____

_____

6. Périostite _____

_____

EXERCICE DE LECTURE DIRIGÉE

Trouvez dans le texte ci-dessous les 10 termes médicaux qui font référence au système squelettique. Analysez-les à l'aide des quatre étapes présentées au chapitre 1. Décomposez le terme trouvé (préfixe, radical, suffixe) et donnez-en la définition en vous fondant sur la signification de ses éléments de base.

■ ■ REMARQUE

Pour mieux intégrer vos apprentissages, vous pourrez aussi rechercher dans ce texte d'autres termes médicaux, qui ne font pas référence au système squelettique.

■ ■ RÉSUMÉ DU DOSSIER

M. Émilien Beauséjour, âgé de 71 ans, s'est rendu à l'urgence à cause d'un énorme hématome formé à la suite d'une chute sur la glace, accompagné d'une douleur très intense à la hanche droite.

Radiographies du fémur: Fracture comminutive du col fémoral, accompagnée d'un remaniement de la trame osseuse, d'une hypertrophie osseuse de cette région et d'une déformation assez marquée du fémur.

Les diagnostics suivants ont été posés par l'orthopédiste:

- Fracture comminutive du col fémoral droit.
- Maladie osseuse de Paget.

Le patient a été admis à l'unité de soins orthopédiques. Par la suite, il a été conduit en salle d'opération pour y subir une réduction ouverte avec fixation interne de la fracture du fémur et une biopsie osseuse fémorale visant à explorer l'évolution de la maladie de Paget.

De retour à l'unité de soins, le patient a été immobilisé au lit pendant quelques jours. Il a aussi été soumis à des examens biologiques, sanguins et urinaires. Les résultats ont été les suivants:

- Légère élévation de la calcémie.
- Élévation des phosphatases alcalines.
- Élévation de l'hydroxyprolinurie.

La biopsie osseuse a révélé les faits suivants :

- Travées osseuses irrégulières, anarchiques, épaissies, en mosaïque.
- Hyperostéoblastose et hyperostéoclastose.
- Fibrose médullaire et hypervascularisation.

On a réalisé une scintigraphie osseuse au technétium pour délimiter l'étendue de la maladie de Paget, qui a révélé une hyperfixation osseuse au niveau du bassin, de la colonne vertébrale (surtout lombaire) et des fémurs.

Étant donné la forme polyostéotique de l'affection, on a recommandé au patient de prendre des suppléments calciques et de la vitamine D. Il sera aussi suivi à intervalles réguliers en clinique externe d'orthopédie, pour permettre d'observer l'évolution de son affection.

1. _____

2. _____

3. _____

4. _____

5. _____

6. _____

7. _____

8. _____

9. _____

10. _____

EXERCICE D'ASSOCIATION

Pour chacune des définitions suivantes, trouvez le terme médical exact à partir de la liste ci-dessous contenant différents éléments de terminologie. Pour chacun des éléments qui composent le terme médical approprié, déterminez s'il s'agit d'un préfixe, d'un radical ou d'un suffixe.

■ ■ REMARQUE

Un élément peut être utilisé plusieurs fois.

AIRE	CARPO	LOMB	PÉRONÉ	TARSE
AL	COST	MÉTA	RACHI	TIBI
ALGIE	COX	OÏDE	RRAPHIE	TOME
ARTHR	DORSO	OSTÉ	SPONDYL	TOMIE
CALCANÉ	ECTOMIE	OSTÉO	STERNO	
CARPE	ITE	PATELL	TARS	

Définitions :

1. Inflammation du calcanéum :

_____

2. Résection chirurgicale d'une ou de plusieurs côtes :

_____

3. Douleur au niveau de la hanche :

_____

4. Qui se rapporte au dos et aux lombes :

_____

5. Squelette de la paume de la main entre le carpe et les premières phalanges :

_____

6. Squelette antérieur de la voûte plantaire entre le tarse en arrière et les premières phalanges en avant :

_____

7. Qui rappelle le tissu osseux :

_____

8. Instrument utilisé pour sectionner par voie chirurgicale un os long :

_____

9. Ablation chirurgicale de la rotule :

_____

10. Qui se rapporte au péroné :

_____

11. Arthrite des articulations qui lient les vertèbres :

_____

12. Inflammation des os du tarse :

_____

Mots croisés

SYSTÈME SQUELETTIQUE

Horizontalement

1. Radical qui signifie côte – Radical qui signifie épaule, omoplate.

3. Douleur de la région sacrée – Radical qui signifie colonne vertébrale.

5. Arthrose de l'articulation du gros orteil, qui devient rigide et douloureux.

7. Radical qui signifie genou – Radical qui signifie vertèbre.

9. Ablation chirurgicale d'un fragment osseux du tarse antérieur – Qui concerne le fémur.

11. Bandage utilisé pour soutenir un bras – Radical qui signifie os – Radical qui signifie humérus.

13. Radical qui signifie carpe – Radical qui signifie tarse.

17. Absence complète et définitive de consolidation d'un os fracturé – Radical qui signifie talon.

19. Radical qui signifie coccyx.

21. Radical qui signifie pied – Accentuation de la courbure lombaire de la colonne vertébrale.

Verticalement

1. Relatif aux côtes – Dispositif destiné à soutenir et à immobiliser une partie du corps dans une position donnée – Radical qui signifie péroné.

3. Radical qui signifie sacrum – Spécialité chirurgicale qui traite des affections congénitales ou acquises de l'appareil locomoteur et de la colonne vertébrale.

5. Douleur du talon – Radical qui signifie clavicule.

7. Relatif au dos.

9. Accentuation de la courbure de la colonne vertébrale dans la région thoracique.

11. Radical qui signifie cou – Application d'une force pour étirer une partie du corps.

13. Radical qui signifie fémur.

15. Douleur de la région lombaire – Tissu fibreux ou cartilagineux se formant à l'endroit d'une fracture.

17. Dispositif externe servant à soutenir une partie du corps, à limiter les mouvements et à prévenir les blessures.

19. Relatif au cou.

21. Arthrose affectant le rachis cervical – Dispositif externe rigide, qui épouse les contours de la partie du corps qui doit être immobilisée.

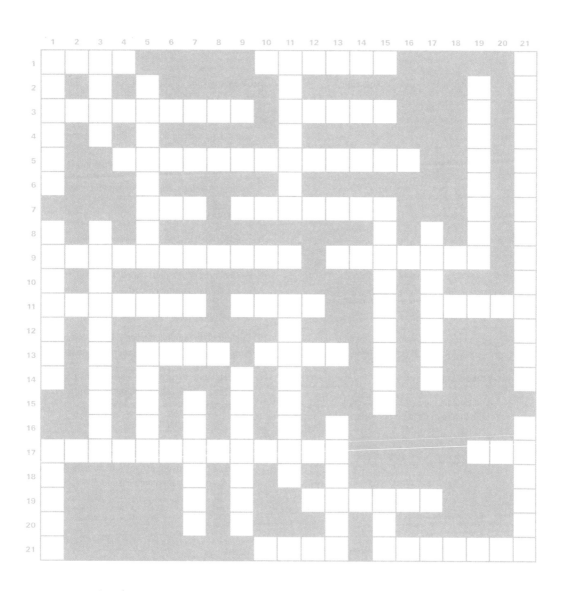

TESTEZ VOS CONNAISSANCES

MaBiblio > MonLab > Exercices >   Ch09 > Questions vrai ou faux
                                          > Questions à choix multiples
                                          > Questions à menu déroulant

MaBiblio > MonLab > Documents >   Ch09 > Exercice d'analyse de termes
                                          > Dictée médicale

CHAPITRE 10

Le système **endocrinien**

Objectif pédagogique	Connaître les termes médicaux liés au système endocrinien

Définitions

Pour commencer voici la définition de quelques termes qui se rapportent au système endocrinien.

ENDOCRINE

Se dit d'une glande à sécrétion interne, dépourvue de canal excréteur ; sécrétion hormonale d'une glande se déversant directement dans le sang.

ENDOCRINIEN

Qui est propre aux glandes endocrines, qui est de la nature de ces glandes.

GLANDE

Organe spécialisé qui sécrète ou excrète des substances qui seront utilisées par l'organisme ou éliminées.

HORMONE

Messager chimique déversé dans le sang par le système endocrinien (hypophyse, glande thyroïde, gonades, par exemple) et acheminé vers d'autres cellules ou organes, sur lesquels il a un effet régulateur précis.

EXERCICE DE TERMINOLOGIE

Vous trouverez ci-dessous une liste de termes médicaux importants qu'il vous faut connaître au sujet du système endocrinien. Associez chacun d'entre eux à la définition correspondante.

Diabète insipide	Goitre	Insulinome
Diabète sucré	Insuline	Myxœdème

1.	Maladie se caractérisant par une polyurie et une polydipsie intenses engendrées par une carence en vasopressine, autrement dit, en hormone antidiurétique.
2.	Tumeur le plus souvent bénigne des îlots de Langerhans du pancréas.
3.	Forme grave d'hypothyroïdie, marquée par une accumulation de glycosamino-glycanes dans les tissus sous-cutanés et interstitiels, qui se caractérise par une expression figée, des paupières gonflées, la disparition d'une partie des sourcils et l'épaississement des lèvres et de la langue.

4. | Groupe d'affections métaboliques qui se caractérisent par l'hyperglycémie due à des anomalies dans la sécrétion d'insuline ou dans les effets de l'insuline, ou attribuables à ces deux facteurs.

5. | Hormone qui est sécrétée par les cellules bêta des îlots de Langerhans du pancréas et qui est indispensable au métabolisme des glucides, des protéines et des lipides ; la carence de cette hormone engendre le diabète.

6. | Hypertrophie de la glande thyroïde, causée habituellement par une carence en iode.

EXERCICE PORTANT SUR LES RADICAUX

À partir de la liste de radicaux ci-dessous, trouvez les 18 qui se rapportent strictement au système endocrinien et les termes médicaux qu'ils définissent.

Acer	Clitorid	Insul	Œst	Osti	Pancréat	Rup	Tétan
Acromio	Cœli	Laparo	Olisthésis	Ovar	Pareunie	Sell	Thym
Adrén	Geste	Lepsie	Oo	Ovo	Pédi	Sext	Thyr
Chondr	Hormono	Médull	Oophor	Pachy	Pituit	Strum	Thyréo
Cirrh	Hypophys	Nyct	Orchi	Palat	Pubi	Test	Toxo

Radical	Terme

EXERCICE D'ANALYSE LEXICOGRAPHIQUE

Voici quelques termes médicaux reliés au système endocrinien. Cet exercice vous permettra de vous familiariser avec les différentes étapes de l'analyse d'un terme médical (voir le chapitre 1). Décomposez le terme proposé (préfixe, radical, suffixe) et donnez-en la définition en vous fondant sur la signification de ses éléments de base.

1. Hyperparathyroïdie _____

_____

2. Hypoglycémie _____

_____

3. Hypoparathyroïdie _____

_____

4. Hypothyroïdie _____

_____

5. Surrénalectomie _____

_____

6. Thymectomie _____

_____

7. Thymome _____

_____

8. Thyroïdectomie _____

_____

9. Thyroïdite _____

_____

EXERCICE DE LECTURE DIRIGÉE

Trouvez dans le texte ci-dessous les trois termes médicaux qui font référence au système endocrinien. Analysez-les à l'aide des quatre étapes présentées au chapitre 1. Décomposez le terme trouvé (préfixe, radical, suffixe) et donnez-en la définition en vous fondant sur la signification de ses éléments de base.

■■ REMARQUE

Pour mieux intégrer vos apprentissages, vous pourrez aussi rechercher dans ce texte d'autres termes médicaux, qui ne font pas référence au système endocrinien.

■■ RÉSUMÉ DU DOSSIER

Mme Louise Legault, 45 ans, a été admise à l'unité de soins de gynécologie en raison des douleurs abdominopelviennes, accompagnées de ménométrorragies, dont elle souffre depuis plusieurs mois. La patiente est nullipare à cause d'adhérences tubo-ovariennes et de l'endométriose.

Les antécédents personnels de la patiente révèlent ce qui suit:

- Diabète de type 2, traité par des hypoglycémiants oraux.
- Hypothyroïdie, traitée par Synthroid.
- Hypertension artérielle, traitée par Vasotec.
- Cancer du sein, traité par une mastectomie radicale.

L'examen physique de la patiente, effectué par le gynécologue, révèle ce qui suit:

- Douleurs abdominopelviennes +++.
- Ménométrorragies +++.
- Ballonnement de l'abdomen, évoquant un début d'ascite.
- Masse pelvienne du côté gauche, révélée par la palpation.
- Altération de l'état général.
- Perte de poids d'environ 20 kg au cours des derniers mois.

Résultats des épreuves de laboratoire:

- Marqueur tumoral CA125 augmenté.
- Hémoglobine à 102 g/L.
- Échographie abdominopelvienne: lésion solide au niveau de l'ovaire gauche avec des cloisons intrakystiques, compatible avec un cancer.

Compte tenu de ces résultats, la patiente a été conduite en salle d'opération pour y subir une laparotomie exploratrice. Le chirurgien a noté une quantité modérée d'ascite qu'il a drainée et envoyée en cytologie. La biopsie intraopératoire de la lésion a confirmé la présence d'un cystadénocarcinome séreux malin de l'ovaire gauche. Étant donné les résultats positifs de l'examen cytologique de l'ascite, on a pratiqué une hystérectomie abdominale totale avec salpingo-ovariectomie bilatérale, accompagnée d'une omentectomie.

Diagnostic:

Cystadénocarcinome séreux malin de l'ovaire gauche avec métastases péritonéales.

Conduite à tenir:

Traitements de chimiothérapie.
Suivi régulier en clinique externe de gynécologie.

1. _____

   _____

2. _____

   _____

3. _____

   _____

EXERCICE D'ASSOCIATION

Pour chacune des définitions suivantes, trouvez le terme médical exact à partir de la liste ci-dessous contenant différents éléments de terminologie. Pour chacun des éléments qui composent le terme médical approprié, déterminez s'il s'agit d'un préfixe, d'un radical ou d'un suffixe.

■■ REMARQUE

Un élément peut être utilisé plusieurs fois.

ADRÉN	ECTOMIE	IEN	OVARI	SALPING	THYRÉO
AIRE	HORMON	IQUE	OVARIO	TEST	THYROÏD
AL	HYPER	ITE	PATHIE	THALAM	TOMIE
ALGIE	HYPO	LYSE	PEXIE	THYM	
CYTE	HYPOPHYS	OVAR	PTOSE	THYMO	

Définitions :

1. Qui se rapporte à une hormone :

2. Qui se rapporte à l'hypophyse :

3. Ablation chirurgicale de l'hypophyse :

4. Douleur au niveau de l'ovaire :

5. Ablation chirurgicale des ovaires :

6. Inflammation des ovaires :

7. Intervention chirurgicale visant à libérer ou à séparer les ovaires des adhérences péritonéales qui les recouvrent :

8. Fixation chirurgicale d'un ovaire :

9. Qui se rapporte au thalamus :

10. Cellule du thymus :

11. Affection/Maladie de la glande thyroïde :

12. Qui se rapporte à la glande thyroïde :

Mots croisés

SYSTÈME ENDOCRINIEN

Horizontalement

1. Spécialiste qui s'occupe des affections endocriniennes.

3. Ralentissement de la croissance des os longs, causée par l'hyposécrétion de l'hormone de croissance durant l'enfance – Radical qui signifie thymus.

5. Radical qui signifie sécréter.

7. Tumeur le plus souvent bénigne des îlots de Langerhans du pancréas – Hypertrophie de la glande thyroïde, causée habituellement par une carence en iode.

11. Relatif aux glandes endocrines.

15. Ablation chirurgicale du thymus.

17. Fonctionnement normal et régulier de la glande thyroïde.

19. Inflammation de la glande thyroïde.

Verticalement

1. Spécialité médicale qui s'occupe du traitement des affections des glandes endocrines – Radical qui signifie selle (turcique).

3. Ablation chirurgicale complète ou partielle des glandes surrénales.

5. Radical qui signifie glande surrénale.

7. Hormone qui est sécrétée par les cellules bêta des îlots de Langerhans du pancréas et qui est indispensable au métabolisme des glucides, des protéines et des lipides – Radical qui signifie hormone.

13. Se dit des glandes à sécrétion interne qui libèrent leur production dans le sang.

15. Ablation chirurgicale de la moitié de la glande thyroïde.

17. Forme grave d'hypothyroïdie, marquée par une accumulation de glycosaminoglycanes dans les tissus sous-cutanés et interstitiels.

19. Radiographie des canaux du pancréas.

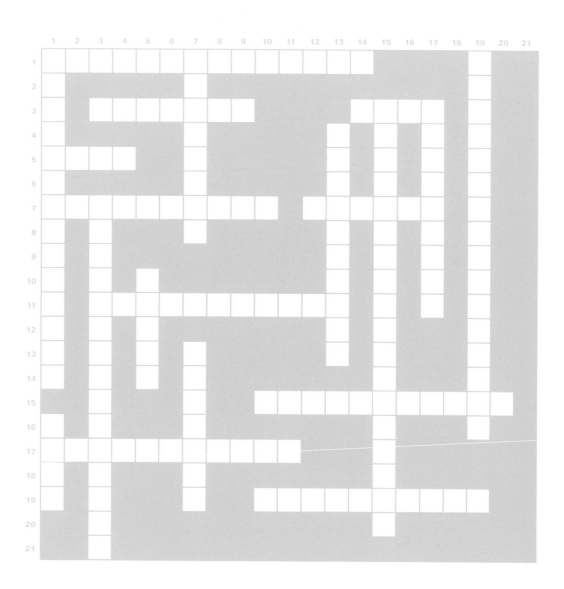

TESTEZ VOS CONNAISSANCES

MaBiblio > MonLab > Exercices >   Ch10 > Questions vrai ou faux
                                        > Questions à choix multiples
                                        > Questions à menu déroulant

MaBiblio > MonLab > Documents >   Ch10 > Exercice d'analyse de termes
                                        > Dictée médicale

11

Le système **nerveux**

| **Objectif pédagogique** | Connaître les termes médicaux liés au système nerveux |

Définition

Pour commencer, voici la définition du système nerveux.

SYSTÈME NERVEUX

Ensemble des organes et des centres nerveux, incluant les nerfs, qui assurent les différentes fonctions du corps humain du point de vue de la sensibilité, de la motilité, de la nutrition et des facultés intellectuelles et affectives.

EXERCICE DE TERMINOLOGIE

Vous trouverez ci-dessous une liste de termes médicaux importants qu'il vous faut connaître au sujet du système nerveux. Associez chacun d'entre eux à la définition correspondante.

Coma	Myoclonie	Tic
Épilepsie	Sclérose en plaques	Tremblements
Migraine	Syringomyélie	Vertige

1. Contraction involontaire d'un muscle ou d'un groupe de muscles.

2. Illusion de la perception amenant la personne à s'imaginer qu'elle se déplace ou que les objets environnants se déplacent.

3. État d'inconscience.

4. Céphalée intense et tenace s'accompagnant de symptômes tels que nausées, vomissements et perturbations de la vision.

5. Maladie de la moelle épinière, caractérisée par une insensibilité à la douleur et à la température, accompagnée d'une paraplégie spasmodique et d'une atrophie musculaire.

6. Mouvement convulsif, geste bref et automatique, répété involontairement, sans but fonctionnel.

7. Groupe de syndromes qui se caractérisent par des perturbations transitoires et paroxystiques de la fonction cérébrale.

8.	Agitation qui peut faire intervenir des groupes importants de fibres musculaires ou de petits faisceaux de fibres musculaires.
9.	Démyélinisation graduelle du cerveau et de la moelle épinière qui se manifeste, entre autres, par des troubles de coordination, la perte d'équilibre, des douleurs, etc.

EXERCICE PORTANT SUR LES RADICAUX

À partir de la liste de radicaux ci-dessous, trouvez les 20 qui se rapportent strictement au système nerveux et les termes médicaux qu'ils définissent.

Arachno	Cérébr	Granul	Neur
Aryté	Chél	Lob	Névr
Basie	Chiasm	Médull	Pulmo
Bulb	Chol	Mélan	Quadr
Capill	Choré	Men	Rachi
Capit	Cœli	Méning	Radic
Cardi	Cortic	Morbid	Rami
Centi	Coni	Myél	Spin
Céphal	Coque	Négat	Tégument
Cérébell	Crani	Nerv	Thalam

Radical	Terme

Radical	Terme

EXERCICE D'ANALYSE LEXICOGRAPHIQUE

Voici quelques termes médicaux reliés au système nerveux. Cet exercice vous permettra de vous familiariser avec les différentes étapes de l'analyse d'un terme médical (voir le chapitre 1). Décomposez le terme proposé (préfixe, radical, suffixe) et donnez-en la définition en vous fondant sur la signification de ses éléments de base.

1. Électroencéphalogramme _____

_____

2. Encéphalite _____

_____

3. Hydrocéphalie _____

_____

4. Méningite _____

_____

5. Mononévrite _____

_____

6. Myélite _____

_____

7. Myélopathie _____

_____

8. Neuropathie _____

_____

9. Névralgie _____

_____

10. Polynévrite _____

_____

EXERCICE DE LECTURE DIRIGÉE

Trouvez dans le texte ci-dessous les 12 termes médicaux qui font référence au système nerveux. Analysez-les à l'aide des quatre étapes présentées au chapitre 1. Décomposez le terme trouvé (préfixe, radical, suffixe) et donnez-en la définition en vous fondant sur la signification de ses éléments de base.

■ ■ R E M A R Q U E

Pour mieux intégrer vos apprentissages, vous pourrez aussi rechercher dans ce texte d'autres termes médicaux, qui ne font pas référence au système nerveux.

Résumé du dossier :

Mme Esther Vadeboncoeur, âgée de 73 ans, a dû être hospitalisée d'urgence au mois de mai, en raison d'un état comateux, sans déficit moteur. L'interrogatoire de la patiente et de sa famille révèle au neurologue que, jeudi soir, des céphalées d'intensité croissante sont survenues brutalement, suivies de vomissements dans la matinée de vendredi. Le vendredi matin, les céphalées deviennent généralisées et violentes, et la température s'élève à 39,8 °C.

Antécédents personnels :

- Sinusite chronique, traitée par une antibiothérapie fréquente (3 traitements par année, au minimum).
- Diabète de type 2.
- Stimulateur cardiaque installé depuis quelques années.
- Cardiomyopathie obstructive.
- Insuffisance cardiaque.
- Polyarthrite rhumatoïde.
- Hypothyroïdie.

Examen physique :

- Température à 40 °C.
- Pression artérielle à 102/60 mm Hg.
- Fréquence cardiaque à 115 battements/minute.
- Syndrome méningé franc, patiente obnubilée, répondant seulement aux ordres simples, avec un score de 10 à l'échelle de Glasgow.
- Absence de convulsions et de signes de localisation neurologique.
- Souffle caractéristique d'une insuffisance mitrale et quelques râles sous-crépitants à la base, à droite.

Résultats des épreuves de laboratoire :

- Leucocytes : 22×10^9/L.
- Plaquettes : 78×10^9/L.
- Glycémie : 3,0 mmol/L.
- Urée sanguine : 0,6 mmol/L.
- Créatininémie : 13 µmol/L.
- PCR : 325 mg/L.
- Gaz sanguins : rien à signaler.

Ponction lombaire :

- Protéinorachie : 1,58 g/L.
- Glycorachie : 0,50 mmol/L.
- Chlorurorachie : 118 mmol/L.
- Leucocytes : 750×10^6/L.

- Examen direct : nombreux cocci à Gram+.
- Pression du LCR : 22 cm H_2O.

Scanographie cérébrale :

Aucune masse notée. Affaiblissement de la fonction neurologique.

Diagnostic :

Méningite purulente à cocci Gram+, avec troubles de conscience peu graves et sans signe de choc.

Traitement :

Antibiothérapie pendant quatre semaines.

1. _____

_____

2. _____

_____

3. _____

_____

4. _____

_____

5. _____

_____

6. _____

_____

7. _____

_____

8. _____

_____

9. _____

_____

10. _____

_____

11. _____

_____

12. _____

_____

EXERCICE D'ASSOCIATION

Pour chacune des définitions suivantes, trouvez le terme médical exact à partir de la liste ci-dessous contenant différents éléments de terminologie. Pour chacun des éléments qui composent le terme médical approprié, déterminez s'il s'agit d'un préfixe, d'un radical ou d'un suffixe.

■ ■ REMARQUE

Un élément peut être utilisé plusieurs fois.

AIRE	IEN	NÉVR
AL	IQUE	NÉVRO
ALGIE	ITE	OME
CÈLE	LOGIE	RACHID
CÉPHAL	LYSE	RADICUL
CÉPHALO	MÉNINGI	SPIN
CÉRÉBELL	MÉNINGO	TOMIE
CÉRÉBRO	MYÉLO	VENTRICUL
EUX	NEUR	
GRAPHIE	NEURO	

Définitions :

1. Douleur au niveau de la tête :

_____

2. Qui se rapporte à la tête :

_____

3. Qui se rapporte à la tête et au rachis :

_____

4. Qui se rapporte au cervelet :

_____

5. Qui se rapporte au cerveau et à la moelle épinière :

_____

6. Tumeur bénigne qui se développe dans les méninges :

_____

7. Protrusion à la face externe des méninges ne renfermant que du liquide :

_____

8. Radiographie de la moelle épinière après injection, dans l'espace sous-arachnoïdien, d'une substance de contraste iodée :

_____

9. Libération chirurgicale d'un nerf comprimé :

10. Tumeur constituée aux dépens de cellules nerveuses :

11. Inflammation des nerfs :

12. Section chirurgicale d'un nerf :

Mots croisés

Horizontalement

1. Trouble de la phonation ou altération de la voix – Radical qui signifie méninge.

3. Ablation chirurgicale d'une partie du système sympathique du système nerveux central.

5. Paralysie partielle touchant simultanément les quatre membres.

7. Mouvement convulsif, geste bref et automatique, répété involontairement, sans but fonctionnel – Radical qui signifie racine nerveuse – Mouvement automatique en réponse à un stimulus.

9. Tumeur bénigne, encapsulée, qui se forme dans les cellules arachnoïdiennes situées sur les méninges.

11. Augmentation congénitale importante du volume du cerveau.

13. État d'inconscience.

15. Atteinte du système nerveux périphérique, caractérisée par des troubles sensitifs et moteurs survenant symétriquement des deux côtés du corps et prédominant à l'extrémité des membres.

17. Paralysie des deux jambes s'accompagnant d'un trouble de la fonction intestinale et vésicale.

19. Atteinte diffuse de l'encéphale, liée à une affection généralisée.

21. Introduction d'une sonde dans l'un des ventricules latéraux de l'encéphale en vue de mesurer la pression intracrânienne et de permettre au liquide céphalorachidien de s'écouler.

Verticalement

1. Trouble du langage – Inflammation des méninges.

3. Céphalées intenses et tenaces s'accompagnant de symptômes tels que des nausées, des vomissements et des perturbations de la vision.

5. Incapacité de coordonner les mouvements volontaires, ce qui entraîne une difficulté à marcher, à parler et à mener à bien les activités reliées à l'hygiène personnelle – Mouvement anormal, marqué par l'alternance rapide de la constriction et du relâchement d'un muscle.

7. Radical qui signifie nerf.

9. Affection inflammatoire de l'encéphale – Radical qui signifie tête.

15. Radical qui signifie nerf.

17. Paralysie touchant un côté du corps ou une partie d'un côté du corps.

19. Qui provient du système nerveux – Radical qui signifie cervelet.

21. Ablation chirurgicale d'un volet du crâne.

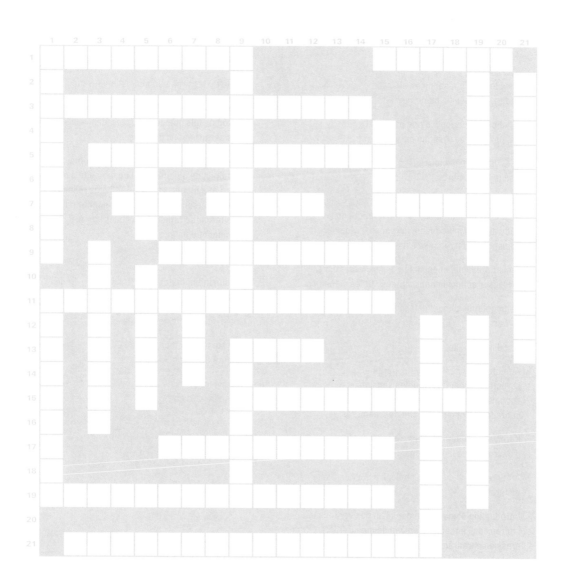

TESTEZ VOS CONNAISSANCES

MaBiblio > MonLab > Exercices >   Ch11 > Questions vrai ou faux
                                        > Questions à choix multiples
                                        > Questions à menu déroulant
MaBiblio > MonLab > Documents >   Ch11 > Exercice d'analyse de termes
                                        > Dictée médicale

12

Les sens

Objectif pédagogique	Connaître les termes médicaux liés aux sens

Définition

Pour commencer, voici la définition des organes des sens.

ORGANES DES SENS

Ensemble des organes et des éléments qui les composent et qui ont pour fonction principale de mettre l'être humain en relation avec le monde extérieur. Cette fonction est rendue possible grâce aux cinq sens : l'ouïe, la vue, le toucher, le goût et l'odorat.

EXERCICE DE TERMINOLOGIE

Vous trouverez ci-dessous une liste de termes médicaux importants qu'il vous faut connaître au sujet des organes des sens. Associez chacun d'entre eux à la définition correspondante.

Amaurose fugace	Dacryolithe	Myopie	Strabisme
Astigmatisme	Daltonisme	Otorrhée	Surdité
Blépharite	Épiphora	Otospongiose	Tympanite
Cataracte	Glaucome	Presbytie	
Cécité	Hypermétropie	Ptérygion	
Dacryocystite	Hyphéma	Scotomes	

1. Trouble de la vision caractérisé par la difficulté de percevoir certaines couleurs, notamment le rouge et le vert.

2. Inaptitude à voir ; on la définit habituellement comme une acuité visuelle corrigée, inférieure à 20/400, ou un champ visuel inférieur à 20 degrés dans l'œil qui voit le mieux.

3. Inflammation du bord des paupières.

4. Écoulement provenant de l'oreille.

5. Opacification du cristallin de l'œil ou de la capsule du globe oculaire.

6. Inflammation du tympan.

7. Présence d'une déviation par rapport à l'alignement oculaire parfait.

8.	Altération de la circulation de l'humeur aqueuse qui entraîne une augmentation de la pression intraoculaire.	
9.	Calcul ou pierre formé dans le conduit lacrymal.	
10.	Affection caractérisée par un épaississement de la conjonctive qui s'étend jusqu'à la cornée.	
11.	Écoulement de larmes en dehors de l'œil, à la suite soit d'une obstruction des conduits lacrymaux, soit d'une augmentation de la sécrétion des glandes lacrymales.	
12.	Accommodation visuelle diminuée survenant habituellement après l'âge de 40 ans.	
13.	Présence de sang dans la chambre antérieure de l'œil.	
14.	Perte totale ou partielle de l'audition.	
15.	Perte temporaire de la vision souvent due à une ischémie cérébrale transitoire.	
16.	Vice de réfraction qui se caractérise par la convergence à l'arrière de la rétine des rayons de lumière provenant d'un objet éloigné.	
17.	Vice de réfraction qui se caractérise par la convergence des rayons de la lumière vers une zone diffuse, plutôt que vers un même point sur la rétine, en raison d'une courbure inégale de la cornée ou du cristallin.	
18.	Inflammation du sac lacrymal.	
19.	Affection qui se caractérise par la formation d'un os spongieux anormal autour de l'étrier (stapès).	
20.	Régions aveugles ou partiellement aveugles du champ visuel.	
21.	Incapacité de bien voir les objets éloignés; vice de réfraction qui se caractérise par la convergence en avant de la rétine des rayons de lumière provenant d'un objet éloigné.	

EXERCICE PORTANT SUR SUR LES RADICAUX

À partir de la liste de radicaux ci-dessous, trouvez les 20 qui se rapportent strictement aux organes des sens et les termes médicaux qu'ils définissent.

Acou	Cost	Kérat	Ortho
Alien	Cubi	Lacrym	Ot
Arche	Cyte	Médiastin	Pancréat
Bléphar	Dacry	My	Palat
Chondr	Épendym	Myringo	Pupill
Chorio	Gueusie	Nas	Rétin
Cib	Gust	Nostic	Saccul
Cocaïn	Hidr	Ocul	Sclér
Conjonctiv	Irid	Oophor	Sext
Corné	Kali	Opie	Stapéd

Radical	Terme

EXERCICE D'ANALYSE LEXICOGRAPHIQUE

Voici quelques termes médicaux reliés aux organes des sens. Cet exercice vous permettra de vous familiariser avec les différentes étapes de l'analyse d'un terme médical (voir le chapitre 1). Décomposez le terme proposé (préfixe, radical, suffixe) et donnez-en la définition en vous fondant sur la signification de ses éléments de base.

1. Blépharochalasis _____

_____

2. Choriorétinite _____

_____

3. Conjonctivite _____

_____

4. Diplopie _____

_____

5. Hémotympan _____

_____

6. Kératite _____

_____

7. Kératoplastie _____

_____

8. Kératotomie _____

_____

9. Ophtalmomalacie _____

_____

10. Ophtalmoplégie _____

_____

11. Orbitotomie _____

_____

12. Otite _____

_____

13. Panophtalmie _____

_____

14. Photophobie _____

_____

15. Rétinopathie _____

_____

16. Rhinoplastie _____

_____

17. Septoplastie _____

_____

18. Sinusite _____

_____

19. Stapédectomie _____

_____

20. Tympanoplastie _____

_____

21. Tympanosclérose _____

_____

22. Uvéite _____

_____

EXERCICE DE LECTURE DIRIGÉE

Trouvez dans les textes ci-dessous les 10 termes médicaux qui font référence aux organes des sens. Analysez-les à l'aide des quatre étapes présentées au chapitre 1. Décomposez le terme trouvé (préfixe, radical, suffixe) et donnez-en la définition en vous fondant sur la signification de ses éléments de base.

■ ■ R E M A R Q U E

Pour mieux intégrer vos apprentissages, vous pourrez aussi rechercher dans ce texte d'autres termes médicaux, qui ne font pas référence aux organes des sens.

CAS N⁰ 1

Nom du patient :   **Âge :**

St-Onge, Étienne.   15 mois.

Raison de la visite :

Syndrome fébrile à 39,4 °C persistant depuis 48 heures, malgré la prise de Tempra. L'enfant fréquente une garderie.

Histoire de la maladie actuelle :

Fièvre depuis 48 heures. L'enfant dort mal et semble souffrir de maux d'oreilles. Il refuse de prendre ses biberons. Il ne vomit pas, malgré des épisodes de régurgitations fréquents depuis la naissance, signalés par les parents. Le poids de l'enfant est stable. Pas de signe de déshydratation.

Antécédents personnels :

- Quatre épisodes d'otite moyenne aiguë consécutifs, traités par plusieurs antibiotiques différents. Un contrôle des tympans après le premier épisode a montré que les deux tympans étaient dépolis.
- Rhinorrhée mucopurulente associée à une obstruction nasale responsable de ronflements nocturnes.
- Anémie par carence en fer, traitée depuis quelques jours.

Examen clinique par l'otorhinolaryngologiste :

- Tympans hyperhémiés et opacifiés.
- Fosses nasales encombrées de sécrétions purulentes.
- Pharynx normal.
- Pas d'adénopathie cervicale notée à la palpation.
- Bruits pulmonaires normaux notés à l'auscultation.

Diagnostic :

Otite moyenne aiguë bilatérale.

1. _____

_____

2. _____

_____

3. _____

_____

4. _____

_____

CAS Nº 2

Nom de la patiente :   **Âge :**

L'Heureux, Constance.   78 ans.

Raison de la visite en clinique d'ophtalmologie :

Baisse de la vision depuis quelques mois. La patiente demande un examen visuel complet.

Histoire de la maladie actuelle :

La patiente a beaucoup de difficultés à voir. Les images sont déformées. Elle signale de fréquents éblouissements le jour, à cause des rayons du soleil ou, la nuit, à cause des phares des voitures. Étant donné ces troubles visuels, la patiente a de plus en plus de difficulté à marcher.

Examen physique par l'ophtalmologiste :   **Conduite à tenir :**

Très forte opacification du cristallin.   Envisager l'extraction de la cataracte par phacofragmentation avec insertion d'une lentille intraoculaire.

Diagnostic :

Cataracte sénile.

5. _____

_____

6. _____

_____

7. _____

_____

8. _____

_____

9. _____

_____

10. _____

_____

EXERCICE D'ASSOCIATION

Pour chacune des définitions suivantes, trouvez le terme médical exact à partir de la liste ci-dessous contenant différents éléments de terminologie. Pour chacun des éléments qui composent le terme médical approprié, déterminez s'il s'agit d'un préfixe, d'un radical ou d'un suffixe.

■ ■ REMARQUE

Un élément peut être utilisé plusieurs fois.

A	CYST	ITE	NAS	PATHIE	SCLÉRO
ACOU	DACRYO	KÉRATO	ODYNIE	PHAKIE	SCOPIE
AL	ECTOMIE	LACRYM	OPHTALMO	RÉTIN	TOMIE
ALGIE	GLOSS	MÉTRIE	OT	RHINO	
BLÉPHARO	IRID	MYRINGO	OTO	RRAPHIE	

Définitions:

1. Examen de l'audition au moyen de différentes épreuves diagnostiques: _____

2. Absence de cristallin: _____

3. Suture chirurgicale des paupières: _____

4. Inflammation du sac lacrymal: _____

5. Névralgie linguale: _____

6. Résection chirurgicale partielle de l'iris: _____

7. Incision chirurgicale de la cornée: _____

8. Qui se rapporte aux larmes: _____

9. Incision chirurgicale du tympan: _____

10. Douleur siégeant au niveau de l'oreille: _____

11. Examen visuel de l'oreille: _____

12. Affection/Maladie du nez: _____

Mots croisés

Horizontalement

1. Infection par un champignon microscopique de la peau tapissant le conduit auditif externe de l'oreille – Incision chirurgicale de l'orbite de l'œil.

3. Affection qui se caractérise par la formation d'un os spongieux anormal autour de l'étrier – Incapacité de bien voir les objets éloignés.

5. Synonyme d'épistaxis – Radical qui signifie étrier.

7. Inflammation de l'épisclère – Inflammation de l'oreille.

9. Ablation chirurgicale de la glande lacrymale.

11. Radical qui signifie langue – Accommodation visuelle diminuée survenant habituellement après l'âge de 40 ans.

13. Radical qui signifie uvée – Radical qui signifie œil.

17. Inflammation de la langue.

19. Écoulement de larmes en dehors de l'œil, à la suite soit d'une obstruction des conduits lacrymaux, soit d'une augmentation de la sécrétion des glandes lacrymales – Radical qui signifie strabisme.

Verticalement

1. Écoulement provenant de l'oreille – Radical qui signifie couleur bleu-vert – Radical qui signifie cloison.

3. Radical qui signifie oreille – Radical qui signifie iris – Malformation congénitale caractérisée par l'absence de l'un des globes oculaires ou des deux.

5. Perte totale ou partielle du goût.

7. Radical qui signifie sclérotique.

11. Radical qui signifie vue – Inflammation aseptique de la chambre antérieure de l'œil, à la suite d'une blessure du cristallin.

13. Incapacité ou difficulté à soutenir un effort visuel de près, entraînant une vision brouillée et des maux de tête – Inflammation de l'uvée.

15. Affection chronique qui provoque une induration de la membrane tympanique – Radical qui signifie salive.

19. Radical qui signifie vue.

21. Cécité touchant la moitié du champ visuel dans un œil ou dans les deux yeux.

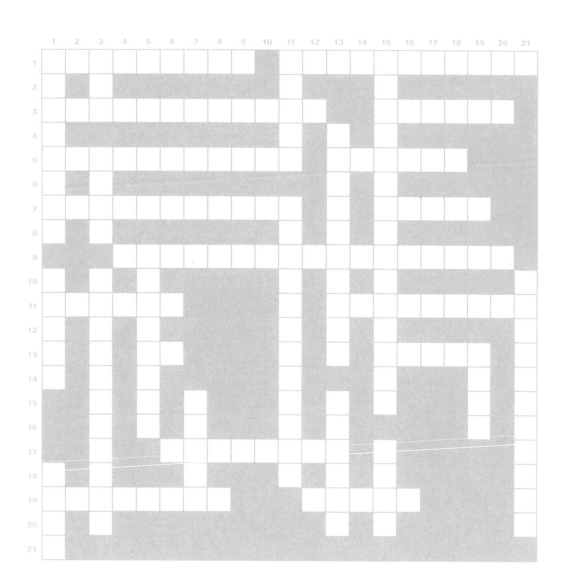

TESTEZ VOS CONNAISSANCES

MaBiblio > MonLab > Exercices >   Ch12 > Questions vrai ou faux
                                               > Questions à choix multiples
                                               > Questions à menu déroulant

MaBiblio > MonLab > Documents >   Ch12 > Exercice d'analyse de termes
                                               > Dictée médicale

13

Les fonctions **cérébrales supérieures**

| **Objectif pédagogique** | Connaître les termes médicaux liés aux fonctions cérébrales supérieures |

Définition

Pour commencer, voici la définition des fonctions cérébrales supérieures.

FONCTIONS CÉRÉBRALES SUPÉRIEURES

Les fonctions cérébrales supérieures se rapportent essentiellement aux processus de la pensée, aux connaissances, aux émotions et au comportement de l'être humain.

EXERCICE DE TERMINOLOGIE

Vous trouverez ci-dessous une liste de termes médicaux importants qu'il vous faut connaître au sujet des fonctions cérébrales supérieures. Associez chacun d'entre eux à la définition correspondante.

Alcoolisme	Démence	Névrose
Anorexie mentale	Hallucination	Obsession
Anxiété	Hypocondrie	Paranoïa
Bégaiement	Hystérie	Psychose
Boulimie	Illusion	Schizophrénie
Confusion	Mélancolie	Trouble bipolaire

1. | Syndrome se caractérisant par un déclin généralisé des fonctions complexes du cerveau, par exemple une altération de la mémoire, des perturbations cognitives (perturbation du langage, perturbation des activités motrices malgré des fonctions motrices intactes, impossibilité de reconnaître des objets malgré des fonctions sensorielles intactes, perturbation des fonctions exécutives), ou par une altération du fonctionnement social ou professionnel.

2. | Perturbation psychique caractérisée par une anxiété excessive ou une dépression prononcée, des troubles des fonctions corporelles, des relations interpersonnelles insatisfaisantes et des comportements qui altèrent le fonctionnement quotidien.

3. | Dépendance à l'alcool (synonyme : éthylisme).

4. | Trouble psychique caractérisé par une altération de la conscience, se manifestant par une diminution de la vigilance, des troubles de la mémoire et de la perception, et de l'anxiété.

5.	Forme grave d'un épisode de dépression majeure, avec exacerbation des symptômes et absence quasi totale de plaisir et d'intérêt.
6.	Compulsion irrépressible qui incite une personne à manger de grandes quantités de nourriture pour ensuite se purger en se faisant vomir ou en prenant des laxatifs.
7.	Fausses perceptions ou interprétations erronées de stimuli externes réels.
8.	Mot, idée, image qui s'impose à l'esprit de façon répétée et incoercible.
9.	État émotionnel caractérisé par de l'appréhension, des malaises, de l'agitation ou de l'inquiétude.
10.	État d'anxiété habituelle excessive à propos de sa santé.
11.	Méfiance extrême à l'égard d'autrui.
12.	Trouble intermittent de l'élocution caractérisé par l'hésitation, la répétition et, parfois, l'impossibilité de prononcer certains mots.
13.	Trouble mental grave caractérisé par des idées délirantes ou des hallucinations et par la dégradation des modes de fonctionnement interpersonnel et des relations avec le monde extérieur.
14.	Affection qui se caractérise par l'incapacité ou le refus de manger, une perte de poids rapide et l'émaciation chez une personne qui continue par ailleurs de se trouver grosse.
15.	Fausse perception sensorielle, sans stimulus externe.
16.	Trouble mental caractérisé par une dissociation des fonctions intellectuelles, accompagné d'une perte de contact du sujet avec la réalité. La personne atteinte a tendance à s'enfermer dans un monde intérieur qu'elle a elle-même créé.
17.	Névrose caractérisée par l'exagération des modalités d'expression psychique et affective, qui peut se traduire par des crises de nerfs, de la paralysie, des convulsions et même la perte de conscience.
18.	Trouble caractérisé par des alternances de profonde dépression et d'euphorie extrême (manie), entrecoupés de périodes de normalité ; peut ou non s'accompagner de symptômes psychotiques.

EXERCICE D'ANALYSE LEXICOGRAPHIQUE

Voici quelques termes médicaux reliés aux fonctions cérébrales supérieures. Cet exercice vous permettra de vous familiariser avec les différentes étapes de l'analyse d'un terme médical (voir le chapitre 1). Décomposez le terme proposé (préfixe, radical, suffixe) et donnez-en la définition en vous fondant sur la signification de ses éléments de base.

1. Cocaïnomanie

2. Hématophobie

3. Héroïnomanie _____

4. Hydrophobie _____

5. Misogynie _____

6. Mythomanie _____

EXERCICE DE LECTURE DIRIGÉE

Trouvez dans le texte ci-dessous les 10 termes médicaux qui font référence aux fonctions cérébrales supérieures. Analysez-les à l'aide des quatre étapes présentées au chapitre 1. Décomposez le terme trouvé (préfixe, radical, suffixe) et donnez-en la définition en vous fondant sur la signification de ses éléments de base.

■■■ REMARQUE

Pour mieux intégrer vos apprentissages, vous pourrez aussi rechercher dans ce texte d'autres termes médicaux, qui ne font pas référence aux fonctions cérébrales supérieures.

Résumé du dossier :

Mme Charlotte Rousseau, âgée de 63 ans, s'est présentée à l'urgence du centre hospitalier se plaignant qu'elle se sent très fatiguée depuis trois semaines. Elle signale aussi qu'elle s'intéresse de moins en moins à ses activités quotidiennes.

Antécédents familiaux :

La mère de la patiente s'est suicidée à l'âge de 52 ans (diagnostic de dépression majeure).

Le père s'est suicidé à l'âge de 56 ans à la suite d'un épisode de psychose maniacodépressive (diagnostic selon le DSM-5 : trouble bipolaire).

Antécédents personnels :

- Hypertension artérielle traitée par des médicaments.
- Diabète de type 2, traité par des hypoglycémiants oraux.
- Maladie cardiaque artérioscléreuse.
- Angine de poitrine bien maîtrisée par des médicaments.
- Hypercholestérolémie maîtrisée par une diète très sévère.

Examen physique :

- Cataracte de l'œil droit.
- Arthrite bilatérale des mains et des genoux.
- Lordose très accentuée.

Conduite à tenir :

Demande de consultation en psychiatrie et admission à l'unité de soins psychiatriques.

Résultats de l'entrevue avec le psychiatre :

- Humeur dépressive depuis au moins trois semaines.
- Diminution très marquée, allant jusqu'à une quasi-abolition de l'intérêt de la patiente pour les activités de la vie quotidienne.
- Légère perte de poids.
- Insomnie +++.
- Fatigue +++.
- Intense sentiment de dévalorisation.
- Difficulté à se concentrer.

À l'opposé, les éléments suivants n'ont pas été observés pendant l'entrevue :

- Pharmacodépendance.
- Agoraphobie.
- Démence caractéristique pour l'âge de la patiente.
- Trouble bipolaire.
- Trouble dissociatif de l'identité.
- Signe ou symptômes de schizophrénie.

Impression :

Cette patiente manifeste un épisode dépressif majeur.

Conduite à tenir :

Investigation et traitement.

Le psychiatre de la patiente l'a retrouvée dans sa chambre, gisant dans une mare de sang. La patiente s'est suicidée en se tailladant les veines des poignets à l'aide d'un petit couteau qu'elle avait dissimulé dans ses bagages.

1. _____

2. _____

3. _____

4. _____

5. _____

6. _____

7. _____

8. _____

_____

9. _____

_____

10. _____

_____

EXERCICE D'ASSOCIATION

Pour chacune des définitions suivantes, trouvez le terme médical exact à partir de la liste ci-dessous contenant différents éléments de terminologie. Pour chacun des éléments qui composent le terme médical approprié, déterminez s'il s'agit d'un préfixe, d'un radical ou d'un suffixe.

■ ■ REMARQUE

Un élément peut être utilisé plusieurs fois.

AL	IEN	NOSO	POTO
ÉTHYL	IQUE	PHILIE	PYRO
HÉMO	MANIE	PHOBIE	THÉRAPIE
HYPO	NARCO	PHOTO	THERMO

Définitions :

1. Qui se rapporte à l'alcool :

_____

2. Emploi thérapeutique, en présence de certaines maladies mentales, du sommeil continu, entretenu pendant plusieurs jours à l'aide de narcotiques :

_____

3. Crainte excessive de contracter des maladies ressentie par certaines personnes :

_____

4. Crainte de la lumière :

_____

5. Besoin permanent de boire un liquide quel qu'il soit ressenti par certaines personnes :

_____

6. Impulsion qui pousse certaines personnes à provoquer des incendies :

_____

7. Crainte de la chaleur ressentie par certains malades en raison de la sensation d'avoir constamment trop chaud :

_____

Mots croisés

Horizontalement

1. Dérèglement fonctionnel de la personnalité, qui se traduit par une difficulté et une appréhension à agir, avec une conscience douloureuse du trouble.

3. Médecin spécialiste des troubles mentaux.

5. Névrose caractérisée par l'exagération des modalités d'expression psychique et affective, qui peut se traduire par des crises de nerfs, de la paralysie, des convulsions et la perte de conscience – Usage habituel et excessif de substances ou de médicaments toxiques.

13. Dépendance morbide à la codéine.

15. État émotionnel caractérisé par de l'appréhension, des malaises, de l'agitation ou de l'inquiétude – Attraction sexuelle pour les enfants.

17. État de fatigue physique et psychique extrême.

Verticalement

1. Emploi des ressources de l'esprit dans le traitement des troubles mentaux ou somatiques.

3. Trouble mental caractérisé par une dissociation des fonctions intellectuelles, accompagné d'une perte de contact du sujet avec la réalité.

5. Synonyme d'alcoolisme.

7. Insuffisance ou absence de sommeil.

9. Mot, image, idée qui s'impose à l'esprit de façon répétée et incoercible.

11. Emploi thérapeutique, dans certaines maladies mentales, du sommeil continu, entretenu pendant plusieurs jours à l'aide de narcotiques.

13. Manie de se gratter.

15. Dépendance à l'alcool.

17. Personne atteinte d'une manie, quelle qu'elle soit.

19. Compulsion irrépressible qui incite une personne à manger de grandes quantités de nourriture pour ensuite se purger en se faisant vomir ou en prenant des laxatifs.

21. Trouble psychique caractérisé par une humeur dépressive grave et qui peut entraîner une baisse des facultés intellectuelles.

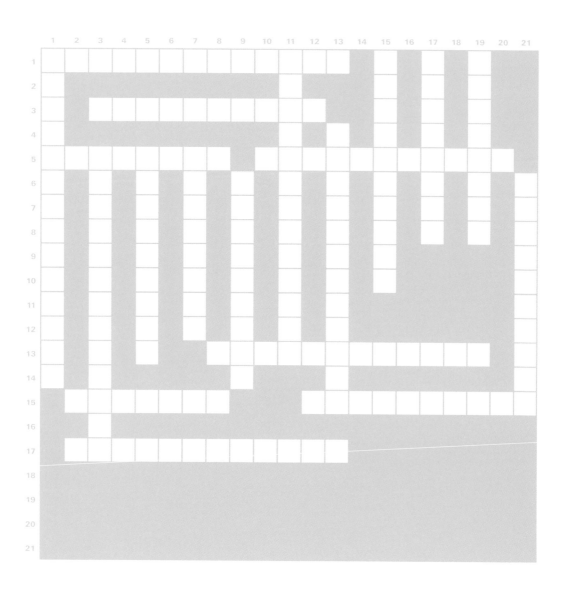

TESTEZ VOS CONNAISSANCES

MaBiblio > MonLab > Exercices >   Ch13 > Questions vrai ou faux
                                        > Questions à choix multiples
                                        > Questions à menu déroulant

MaBiblio > MonLab > Documents >   Ch13 > Exercice d'analyse de termes
                                        > Dictée médicale

14

CHAPITRE

Exercices d'**intégration**

| **Objectif pédagogique** | Intégrer la terminologie médicale liée à plusieurs systèmes anatomiques |

EXERCICE N° 1

Trouvez le terme médical qui correspond à chacune des définitions suivantes et inscrivez-le dans l'espace en blanc. Ensuite, en vous servant de marqueurs de couleurs différentes, surlignez chacun des éléments de ce mot (**P**réfixe, **R**adical, **S**uffixe).

Radical : [   ]   Affixe (**P**réfixe : [   ]   **S**uffixe : [   ])

1. Douleur d'estomac. _____

2. Saillie du rectum dans le vagin. _____

3. Ponction thoracique. _____

4. Fusion de deux surfaces articulaires. _____

5. Dilatation veineuse. _____

6. Tracé de l'activité électrique de l'encéphale. _____

7. Science qui étudie les maladies du système nerveux. _____

8. Spécialiste qui traite les maladies de la peau. _____

9. Spécialiste qui traite les maladies du sang. _____

10. Science qui étudie les maladies rénales. _____

11. Science qui étudie les cancers. _____

12. Ramollissement de la trachée. _____

13. Dépendance à l'héroïne. _____

14. Dépendance aux substances toxiques. _____

15. Mesure de l'utérus. _____

16. Qui a l'apparence du tissu osseux. _____

17. Tumeur bénigne formée de tissus fibreux. _____

18. Tumeur bénigne formée de tissus adipeux. _____

19. Tumeur bénigne formée de tissus musculaires. _____

20. Position d'une glande hors de sa place normale. _____

21. Qui se rapporte aux alvéoles. _____

22. Affection des vaisseaux. _____

23. Peur de l'eau. _____

24. Prolapsus utérin. _____

25. Douleur au niveau de la hanche. _____

26. Douleur vive à l'anus. _____

EXERCICE N° 2

Trouvez le terme médical qui correspond à chacune des définitions suivantes. Ensuite, à l'aide de marqueurs de couleur, surlignez chacun des éléments de ce mot (**P**réfixe, **R**adical, **S**uffixe).

Radical : [   ]   Affixe (**P**réfixe : [   ]   Suffixe : [   ])

1.	Perte d'appétit.	A __ __ __ __ __ __
2.	Absence de cristallin.	A __ __ __ __ __ __
3.	Absence d'urine dans la vessie.	A __ __ __ __ __
4.	Paralysie des quatre membres.	Q __ __ __ __ __ __ __ __ __
5.	Abouchement chirurgical de la vessie à la paroi abdominale.	C __ __ __ __ __ __ __ __
6.	Abouchement chirurgical de la trachée à la peau.	T __ __ __ __ __ __ __ __ __
7.	Création sur le côlon d'un orifice dans la paroi abdominale.	C __ __ __ - __ __ __ __ __ __ __
8.	Examen visuel d'une articulation.	A __ __ __ __ __ __ __ __
9.	Examen visuel des bronches.	B __ __ __ __ __ __ __ __
10.	Examen visuel de la vessie.	C __ __ __ __ __ __ __
11.	Extraction des calculs après fragmentation.	L __ __ __ __ __ __ __ __
12.	Qui provoque la formation de pus.	P __ __ __ __ __
13.	Diminution du nombre de globules blancs.	L __ __ __ __ __ __ __
14.	Synonyme de globule blanc.	L __ __ __ __ __ __ __
15.	Synonyme de globule rouge.	É __ __ __ __ __ __ __ __
16.	Difficulté d'avaler la nourriture.	D __ __ __ __ __ __
17.	Habitude de se ronger les ongles.	O __ __ __ __ __ __ __ __

18.	Radiographie de la moelle épinière après injection d'une substance de contraste.	M __ __ __ __ __ __ __ __ __ __
19.	Radiographie des glandes mammaires.	M __ __ __ __ __ __ __ __ __
20.	Radiographie du rein après injection d'une substance de contraste.	P __ __ __ __ __ __ __ __
21.	Diminution de la quantité des urines.	O __ __ __ __ __ __
22.	Fréquence exagérée des mictions.	P __ __ __ __ __ __ __
23.	Présence de pus dans l'urine.	P __ __ __ __ __
24.	Mesure de la quantité d'oxygène contenue dans un gaz ou un liquide.	O __ __ __ __ __ __ __ __
25.	Accélération de la fréquence respiratoire.	T __ __ __ __ __ __ __
26.	Respiration difficile.	D __ __ __ __ __
27.	Fixation des testicules par voie chirurgicale.	O __ __ __ __ __ __ __ __ __
28.	Digestion difficile.	D __ __ __ __ __ __
29.	Trouble de la fonction du langage.	D __ __ __ __ __ __
30.	Trouble d'expression du langage parlé.	A __ __ __ __ __
31.	Soif excessive.	P __ __ __ __ __ __
32.	Science qui étudie les maladies de la femme et de son système génital.	G __ __ __ __ __ __ __ __
33.	Hypertrophie des glandes mammaires chez l'homme.	G __ __ __ __ __ __ __ __ __
34.	Développement exagéré d'un tissu ou d'un organe.	H __ __ __ __ __ __ __ __ __
35.	Induration pathologique d'un organe ou d'un tissu.	S __ __ __ __ __ __
36.	Sclérose des fibres musculaires de la tunique moyenne, qui touche aussi la tunique interne des artères.	A __ __ __ __ __ __ __ __ __ __ __
37.	Application thérapeutique du froid.	C __ __ __ __ __ __ __ __ __ __
38.	Emploi thérapeutique des hormones.	H __ __ __ __ __ __ __ __ __ __
39.	Foie géant.	H __ __ __ __ __ __ __ __
40.	Augmentation du volume du cœur.	C __ __ __ __ __ __ __ __
41.	Augmentation considérable du volume de la langue.	M __ __ __ __ __ __ __ __ __

42.	Développement exagéré de la mâchoire inférieure.	M __ __ __ __ __ __ __ __ __ __ __ __
43.	Respiration courte.	B __ __ __ __ __ __ __ __ __
44.	Région supérieure et médiane de l'abdomen.	É __ __ __ __ __ __ __ __ __ __
45.	Pièce cartilagineuse qui protège le larynx en basculant vers l'arrière lors de la déglutition.	É __ __ __ __ __ __ __ __
46.	Synonyme d'ophtalmologiste.	O __ __ __ __ __ __ __
47.	Examen visuel de l'œsophage.	O __ __ __ __ __ __ __ __ __ __ __
48.	Petite bronche.	B __ __ __ __ __ __ __ __
49.	Petite artère.	A __ __ __ __ __ __ __ __
50.	Synonyme de dure-mère.	P __ __ __ __ __ __ __ __ __ __ __
51.	Nom générique des maladies de la rétine.	R __ __ __ __ __ __ __ __ __ __
52.	Radiographie des trompes utérines.	S __ __ __ __ __ __ __ __ __ __ __

EXERCICE N° 3

Associez chacun des termes médicaux à sa définition.

A

Amygdalectomie	Gastrectomie	Hystérectomie	Salpingectomie
Cholécystectomie	Hémicolectomie	Néphrectomie	Splénectomie
Embolectomie	Hépatectomie	Pancréatectomie	

1.	Ablation chirurgicale des amygdales.	
2.	Résection chirurgicale totale ou partielle du pancréas.	
3.	Ablation chirurgicale de la vésicule biliaire.	
4.	Résection chirurgicale de la moitié du côlon.	
5.	Ablation chirurgicale totale ou partielle d'un rein.	
6.	Ablation chirurgicale du thrombus qui a provoqué une embolie.	
7.	Ablation chirurgicale de la rate.	
8.	Ablation chirurgicale totale ou partielle de l'estomac.	
9.	Ablation chirurgicale d'une trompe utérine ou des deux.	
10.	Ablation chirurgicale de l'utérus.	
11.	Résection chirurgicale totale ou partielle du foie.	

B

Cholédochotomie	Épisiotomie	Myringotomie	Rectotomie	Valvulotomie
Duodénotomie	Kératotomie	Pancréatotomie	Sternotomie	
Entérotomie	Laparotomie	Périnéotomie	Trachéotomie	

1.	Incision chirurgicale du cholédoque pour en extraire des corps étrangers.
2.	Incision chirurgicale du tympan.
3.	Ouverture chirurgicale de la trachée.
4.	Section chirurgicale de la cornée.
5.	Section chirurgicale du sternum.
6.	Incision chirurgicale du duodénum.
7.	Incision chirurgicale du rectum.
8.	Incision chirurgicale d'une anse intestinale.
9.	Incision chirurgicale du pancréas.
10.	Incision chirurgicale de la paroi abdominale et du péritoine.
11.	Section chirurgicale des valvules cardiaques en cas de sténose.
12.	Incision chirurgicale du périnée.
13.	Intervention chirurgicale qui consiste à pratiquer une incision au niveau de la vulve pour faciliter l'accouchement en prévenant les lacérations du périnée.

C

Amygdalite	Colite	Gastrite	Kératite	Spondylite
Bronchite	Dacryocystite	Glossite	Laryngite	
Cholécystite	Endocardite	Hépatite	Pharyngite	

1.	Inflammation du pharynx.
2.	Inflammation de la langue.
3.	Inflammation des amygdales.
4.	Inflammation du côlon.
5.	Inflammation de la muqueuse de l'estomac.
6.	Inflammation du foie.
7.	Inflammation du sac lacrymal.
8.	Inflammation de la vésicule biliaire.
9.	Inflammation du larynx.

10.	Inflammation des vertèbres.	
11.	Inflammation de la cornée.	
12.	Inflammation de l'endocarde.	
13.	Inflammation de la muqueuse des bronches.	

D

Anémie	Hypercalcémie	Hypoglycémie	Lipidémie (lipémie)
Chlorémie	Hypercholestérolémie	Hyponatrémie	Septicémie
Hyperbilirubinémie	Hyperkaliémie	Hypoprotéinémie	

1.	Appauvrissement du sang.	
2.	Teneur du sang en lipides.	
3.	Diminution du taux de sodium dans le sang.	
4.	Augmentation du taux de potassium dans le sang.	
5.	Taux anormalement élevé de calcium dans le sang.	
6.	Infection généralisée grave du sang, due à des germes pathogènes.	
7.	Augmentation du taux de bilirubine dans le sang.	
8.	Teneur en chlore du sang.	
9.	Augmentation de la quantité de cholestérol contenue dans le sang.	
10.	Diminution de la quantité de glucose contenue dans le sang.	
11.	Diminution du taux des protéines contenues dans le sang.	

E

Bronchorragie	Élytrorragie	Ménorragie	Microrragie
Cystorragie	Entérorragie	Métrorragie	Rectorragie

1.	Hémorragie utérine survenant en dehors des règles.	
2.	Exagération de l'écoulement menstruel.	
3.	Hémorragie de la vessie.	
4.	Hémorragie des bronches.	
5.	Hémorragie du vagin.	
6.	Très petite hémorragie.	
7.	Hémorragie de l'intestin.	
8.	Hémorragie du rectum.	

F

| Angiorraphie | Cholécystorraphie | Cystorraphie | Hépatorraphie |
| Blépharorraphie | Colporraphie | Entérorraphie | Périnéorraphie |

1.	Suture chirurgicale d'une plaie hépatique.
2.	Suture chirurgicale des vaisseaux.
3.	Suture chirurgicale d'une plaie intestinale.
4.	Suture chirurgicale des paupières.
5.	Suture chirurgicale de la vessie.
6.	Suture chirurgicale d'une plaie de la vésicule biliaire.
7.	Suture chirurgicale d'une section de la muqueuse du vagin.
8.	Suture chirurgicale des deux lèvres du périnée.

EXERCICE N° 4 – EXERCICE DE LECTURE DIRIGÉE

Trouvez dans les textes ci-dessous les termes médicaux qui font référence aux différents chapitres étudiés précédemment. Analysez-les à l'aide des quatre étapes présentées au chapitre 1. Décomposez le terme trouvé (préfixe, radical, suffixe) et donnez-en la définition en vous fondant sur la signification de ses éléments de base.

CAS N° 1

Le 24 mai à 15 h, Claude Turgeon ressent une douleur dans la poitrine. Il appelle les services d'urgence. L'ambulance le transporte au centre hospitalier le plus proche. À 16 h, Claude est examiné par l'urgentologue de garde. Il est soumis à différents tests et à un électrocardiogramme. À la suite des résultats obtenus, Claude est admis aux soins intensifs coronariens avec un diagnostic d'infarctus aigu du myocarde avec surélévation du segment ST.

Après l'admission, le Dr Yves Vadeboncœur, le cardiologue traitant, procède à l'histoire de cas de son patient. Dans les antécédents personnels de Claude, on note la présence d'une maladie cardiaque artérioscléreuse, d'une fibrillation auriculaire chronique, d'hypertension artérielle, d'une néphropathie diabétique avancée, d'une bronchite asthmatique, d'un diabète de l'adulte, d'une rétinopathie diabétique avancée et d'une hypertrophie bénigne de la prostate.

Claude passe deux jours aux soins intensifs coronariens et, le 26 mai, on le transfère à l'unité de soins réguliers. À l'unité de soins, Claude est vu par différents consultants pour traiter ses différents problèmes de santé.

Le 28 mai, Claude est consulté par le Dr C. Poirier, endocrinologue, pour prendre en charge son diabète. Le diabète est bien maîtrisé.

Le 29 mai, le Dr Luc Pothier, pneumologue, est demandé en consultation pour prendre en charge le trouble respiratoire de Claude. Le Dr Pothier recommande à Claude de continuer à prendre son médicament habituel soit Flovent.

Le 30 mai, Claude est consulté pour sa rétinopathie. La D^{re} Mireille Tousignant, ophtalmologiste, examine Claude et lui indique qu'il faudrait l'opérer dans un proche avenir.

Le 31 mai, Claude se sent mieux à la suite de son infarctus aigu du myocarde.

Le 1er juin, Claude commence à avoir des poussées de fièvre. Le Dr Vadeboncœur lui fait passer une radiographie pulmonaire qui s'avère normale. Cependant, une hémoculture révèle une septicémie à streptocoques du groupe B, qui sera traitée par antibiothérapie.

Le 3 juin, Claude fait encore de la fièvre. L'antibiothérapie prescrite par le Dr Vadeboncœur ne semble pas donner les effets escomptés. De plus, Claude souffre de fortes douleurs abdominales. Le Dr Vadeboncœur demande à la D^{re} Louise Perreault, gastro-entérologue, de venir examiner son patient. La D^{re} Perreault procède à l'examen clinique du patient accompagné d'une plaque simple de l'abdomen. Les résultats sont positifs pour un iléus. La D^{re} Perreault devra procéder à une décompression aussitôt que l'infection sera maîtrisée.

Le 4 juin, lors de la tournée médicale, le Dr Vadeboncœur retrouve Claude Turgeon sans pouls ni battement cardiaque. Le médecin constate le décès à 07 h 30 et déclare que la septicémie à streptocoques a été la cause du décès. Aucune autopsie ne sera pratiquée.

1. _____
2. _____
3. _____
4. _____
5. _____
6. _____
7. _____
8. _____
9. _____
10. _____
11. _____
12. _____
13. _____
14. _____
15. _____
16. _____
17. _____
18. _____
19. _____
20. _____
21. _____
22. _____

23. _____

24. _____

25. _____

26. _____

27. _____

28. _____

29. _____

CAS N° 2

Paul Castonguay se présente au service d'urgence du centre hospitalier le 21 mai à 14 h en raison d'une rétention avec hématurie. On demande d'urgence en consultation le Dr Thibodeau, l'urologue de garde. À la suite de l'examen clinique du patient, le Dr Thibodeau décide d'admettre M. Castonguay dans son service d'urologie le 22 mai à 6 heures du matin.

Dans les antécédents personnels de M. Castonguay, on note les problèmes de santé suivants : hypothyroïdie traitée avec Synthroid, hypoglycémie, apnée du sommeil, glomérulonéphrite chronique et artériosclérose aortique.

Après son admission, M. Castonguay subit tous les examens de routine nécessaires pour une intervention chirurgicale. Le 24 mai, on conduit M. Castonguay en salle d'opération. À ce moment-là, le Dr Thibodeau décide de faire une biopsie prostatique avant de procéder à la chirurgie majeure. L'échantillon est examiné par le pathologiste et il montre un adénocarcinome de la prostate. Le Dr Thibodeau procède donc à une prostatectomie radicale par voie périnéale sous anesthésie générale avec l'aide de l'anesthésiste de garde.

Le 26 mai, M. Castonguay se réveille avec une forte poussée de fièvre soit 40 °C. Le Dr Thibodeau lui fait passer les examens nécessaires pour déterminer l'origine de cette fièvre. Après réception des résultats des examens, soit une radiographie pulmonaire, une hémoculture et une culture urinaire, le Dr Thibodeau diagnostique une infection urinaire à *E. coli* comme source de la fièvre. Cependant, la radiographie pulmonaire a aussi révélé un pneumolithe qui sera traité ultérieurement. On prescrit donc à Paul une antibiothérapie par voie intraveineuse, qui sera suivie par une antibiothérapie orale une fois qu'il sera à la maison.

Le 27 mai, le Dr Thibodeau demande au Dr Payer une consultation en cardiologie à cause d'une fibrillation auriculaire pour laquelle on avait prescrit une anticoagulothérapie. Le Dr Payer confirme le diagnostic de fibrillation auriculaire, mais note aussi sur le tracé de l'électrocardiographie une cardiomégalie. M. Castonguay doit continuer l'anticoagulothérapie et sera suivi en clinique externe pour ces deux problèmes cardiaques.

Le 28 mai, M. Castonguay ressent des douleurs osseuses. Le Dr Thibodeau décide donc de demander une consultation avec le Dr Samson. Après quelques examens radiologiques, le Dr Samson diagnostique des métastases osseuses très avancées et il prescrit à Paul une chimiothérapie en clinique externe.

Le 29 mai, le Dr Thibodeau découvre une lésion cutanée sur la joue gauche. Il demande donc une consultation au Dr Dussault, dermatologue de garde. Le Dr Dussault procède à l'excision de cette lésion sous anesthésie locale en clinique de dermatologie et envoie l'échantillon en pathologie. Le pathologiste examine le tissu et diagnostique un carcinome basocellulaire. Fort heureusement pour M. Castonguay, toute la lésion a été enlevée.

Le 31 mai, le Dr Thibodeau reçoit le rapport de pathologie. Après examen de l'échantillon soumis, les diagnostics sont les suivants :

Prostate : adénocarcinome ;
Vésicules séminales : fibrose.

Le 2 juin, à 10 heures, M. Castonguay obtient son congé du centre hospitalier avec un suivi en oncologie pour se soumettre à une chimiothérapie.

1. _____
2. _____
3. _____
4. _____
5. _____
6. _____
7. _____
8. _____
9. _____
10. _____
11. _____
12. _____
13. _____
14. _____
15. _____
16. _____
17. _____
18. _____
19. _____
20. _____
21. _____
22. _____
23. _____
24. _____
25. _____
26. _____

27. _____

28. _____

29. _____

30. _____

31. _____

32. _____

33. _____

34. _____

35. _____

36. _____

37. _____

38. _____

39. _____

40. _____

41. _____

42. _____

43. _____

TESTEZ VOS CONNAISSANCES

MaBiblio > MonLab > Exercices >   Ch14 > Questions vrai ou faux
                                                   > Questions à choix multiples
                                                   > Questions à menu déroulant

MaBiblio > MonLab > Documents   > Dictionnaire audio

Réponses

CHAPITRE 1
Introduction à la **terminologie médicale**

EXERCICES DE RÉVISION

1. **a)** Faux ; c'est l'affixe
   b) Vrai

2. **a)** Masculin (principe 3.2)
   b) Féminin (principe 4.1)
   c) Masculin (principe 1)
   d) Féminin (principe 3.1)
   e) Masculin (principe 3.1)

3. **a)** Strep-positif (principe 1.2)
   b) Gastro-intestinal (principe 1.8)
   c) Dyspepsie (principe 2.3)
   d) Maladie de Tay-Sachs (principe 1.2)
   e) Rétroversion (principe 2.1)
   f) Salpingo-ovariectomie (principe 1.9)
   g) Contre-indication (principe 1.7)
   h) Anatomopathologie (principe 2.2)
   i) Sterno-cléido-mastoïdien (principe 1.6)
   j) Sous-clavière (principe 1.7)

4. **a)** 3
   b) 1
   c) 2

5. **a)** 3
   b) 1
   c) 4
   d) 2

CHAPITRE 2
Lexique **étymologique**

EXERCICE SUR QUELQUES EXCEPTIONS

1. Abcès
2. Cancer
3. Culture
4. Frottis
5. Inflammation
6. Kyste
7. Métastase
8. Ordonnance
9. Percussion
10. Ponction
11. Prévention
12. Rémission
13. Stade
14. Virus
15. Adjuvant
16. Cachexie
17. Fièvre
18. Incubation
19. Hernie
20. Laxatif
21. Microbe
22. Palpation
23. Polype
24. Récidive
25. Syndrome
26. Vaccin
27. Affection
28. Coma
29. Ecchymose
30. Herpès
31. Inoculation
32. Palliatif
33. Parasite
34. Pontage
35. Séquelle
36. Auscultation
37. Contagion
38. Bactérie
39. Fistule
40. Infection
41. Maladie
42. Œdème
43. Pyrexie
44. Traitement
45. Biopsie
46. Chirurgie
47. Décubitus
48. Contamination
49. Invasion
50. Médicament
51. Plaie
52. Rechute
53. Signe
54. Récurrence
55. Tumeur
56. Réflexe
57. Symptôme

EXERCICES SIMPLIFIÉS SUR DES TERMES MÉDICAUX

Exercice n° 1

A) 1. Absence de, manque de, perte, privation
2. Lent, lenteur, ralentissement
3. Anomalie, difficulté, douloureux, gêne, trouble de
4. À la surface de, au-dessus de, extrémité, supérieur, sur
5. Au-dessus, augmentation, exagération, trop
6. Unique, un seul
7. Beaucoup, en grand nombre, plusieurs
8. Nouveau
9. Diminution, peu, rareté

10. Autour de, qui entoure, tout autour
11. Fréquemment, souvent
12. Accélération, rapide, vitesse

B) 1. Audition, entendre
   2. Vaisseaux (sanguins ou autres)
   3. Articulation
   4. Bras
   5. Cœur
   6. Cartilage
   7. Mouvement
   8. Côte
   9. Hanche
   10. Froid
   11. Duodénum
   12. Sang
   13. Sensation, sensibilité
   14. Glucose, sucre
   15. Femme, sexe féminin
   16. Sang
   17. À demi, à moitié
   18. Eau, liquide
   19. Potasse, potassium
   20. Abdomen, paroi abdominale, péritoine, région des lombes
   21. Glande mammaire, mamelle, sein
   22. Sodium
   23. Nocturne, nuit
   24. Épiploon, omentum
   25. Cancer, masse, tumeur
   26. Appétit, faim
   27. Veine
   28. Respiration, respirer
   29. Accouchée, post-accouchement, relatif à l'accouchement
   30. Quatre
   31. Dur, épaississement, induration ou sclérotique
   32. Sérum
   33. Salive
   34. Poitrine, sternum
   35. Endroit, lieu
   36. Cheveu, poil
   37. Miction, urètre, urine, uriner

C) 1. Douleur
   2. Hernie, Protrusion, Saillie
   3. Qui détruit, qui tue
   4. Dilatation, distension
   5. Examen par les rayons X, reproduction à l'aide de l'écriture, radiographie
   6. Étude, science
   7. Besoin, folie, habitude, impulsion, tendance
   8. Apparence, aspect, en forme de, ressemblance, ressembler
   9. Cancer, tumeur
   10. Affection non inflammatoire, maladie chronique ou sucre
   11. Affection, maladie
   12. Manque, pauvreté, peu
   13. Abaissement, chute, déplacement, prolapsus, relâchement
   14. Soins, traitement

Exercice n° 2

Radical correspondant

1. Axill
2. Amnio

3. An, proct
4. Aort
5. Burs
6. Brachi, om/omo
7. Embol
8. Cellul, cyte
9. Cérébr
10. Fongi, myc
11. Cléid
12. Col/colon
13. Acétabul, cotyl
14. Crani
15. Gastr, stoma
16. Fémor
17. Balan
18. Geste, gravid
19. Gloss, lingua
20. Laryng
21. Auricul, ot
22. Bléphar
23. Épisio, périné
24. Pharyng
25. Pleur
26. Puls, sphygmo
27. Py
28. Splén
29. Rect
30. Néphr, pyél, rén
31. Patell, rotul
32. Dips
33. Synov
34. Tend/tendin, tén
35. Orchi, test
36. Thym
37. Histo, sarc
38. Ulcer
39. Urétér
40. Ur, urétr
41. Cyst, vésic

Suffixe correspondant

1. Ectomie
2. Stomie
3. Tripsie
4. Scopie
5. Pexie
6. Tomie
7. Centèse
8. Plastie
9. Chalasis, ptose
10. Rraphie
11. Cide

CHAPITRE 3

Le système **tégumentaire**

EXERCICE DE TERMINOLOGIE

1. Dermite du siège
2. Érythème
3. Nævus
4. Urticaire
5. Prurit

6. Acné
7. Exanthème
8. Panaris
9. Purpura
10. Sueur
11. Chéloïde
12. Gangrène
13. Papule
14. Ulcération
15. Psoriasis
16. Cicatrice
17. Escarre de décubitus
18. Impétigo
19. Durillon
20. Furoncle
21. Squame
22. Eczéma
23. Ongle incarné
24. Pustule

EXERCICE PORTANT SUR LES RADICAUX

Radical	Terme
Axill	Aisselle
Cutan	Peau
Cuti	Peau
Derm	Peau
Dermat	Peau
Faci	Face
Gangli	Ganglion
Glandul	Glande
Ombilic	Nombril, ombilic
Omphal	Nombril, ombilic
Onycho	Ongle
Pil	Poil
Prosop	Face, visage
Rhytid	Ride
Séb	Sébum
Squam	Squame
Sud	Sueur
Trich	Cheveu, poil
Ung	Ongle
Urtic	Urticaire

EXERCICE D'ANALYSE LEXICOGRAPHIQUE

■ ■ REMARQUE Pour trouver la définition de chacun de ces termes, référez-vous au dictionnaire médical de votre choix, aux glossaires contenus dans vos ouvrages de référence ou allez dans MonLab.

1. Adip/osité
   Adip : radical qui signifie « graisse »
   osité : suffixe qui signifie « qui se présente comme, sous la forme de »
   Adiposité – accumulation de graisse dans les tissus sous-cutanés.

2. An/hidr/ose
   An : préfixe qui signifie « absence de »
   hidr : radical qui signifie « sueur »
   ose : suffixe qui désigne une maladie (ici, chronique)
   Anhidrose – maladie chronique caractérisée par l'absence de sécrétion de sueur.

3. Dermato/fibr/ome
   Dermato : radical qui signifie « peau »
   fibr : radical qui signifie « fibre »
   ome : suffixe qui désigne un cancer, une tumeur
   Dermatofibrome – tumeur du tissu fibreux de la peau.

4. Érythro/dermie
   Érythro : radical qui signifie « couleur rouge »
   dermie : radical qui signifie « peau »
   Érythrodermie – syndrome de diverses origines, caractérisé par une rougeur inflammatoire de toute la peau (au sens strict, peau de couleur rouge).

5. Leuco/dermie
   Leuco : radical qui signifie « couleur blanche »
   dermie : radical qui signifie « peau »
   Leucodermie – tache cutanée blanche (au sens strict, peau de couleur blanche).

6. Omphal/ectomie
   Omphal : radical qui signifie « nombril, ombilic »
   ectomie : suffixe qui désigne toute intervention chirurgicale comportant l'exérèse ou l'ablation d'un tissu ou d'un organe
   Omphalectomie – ablation chirurgicale de l'ombilic ou du nombril.

7. Omphal/ite
   Omphal : radical qui signifie « nombril, ombilic »
   ite : suffixe qui désigne une inflammation
   Omphalite – inflammation de l'ombilic ou du nombril.

8. Omphalo/cèle
   Omphalo : radical qui signifie « nombril, ombilic »
   cèle : suffixe qui désigne une hernie ou une protrusion
   Omphalocèle – variété de hernie (chez le nouveau-né) dont le trajet emprunte l'ombilic ou le nombril.

9. Omphalo/rragie
   Omphalo : radical qui signifie « nombril, ombilic »
   rragie : suffixe qui désigne une hémorragie
   Omphalorragie – hémorragie du nombril ou de l'ombilic (ou ombilicale).

10. Onych/a/trophie
    Onych : radical qui signifie « ongle »
    a : préfixe qui désigne l'absence de, un défaut de, un manque
    trophie : radical qui signifie « nourriture, nutrition »
    Onychatrophie – atrophie des ongles par défaut de nutrition.

11. Scléro/dermie
    Scléro : radical qui signifie « épaississement, induration »
    dermie : radical qui signifie « peau »
    Sclérodermie – affection caractérisée par l'épaississement de la peau.

12. Ungué/al
    Ungué : radical dérivé du latin ungus, qui signifie « ongle »
    al : suffixe qui sert à former un adjectif masculin singulier
    Unguéal – qui se rapporte aux ongles.

13. Xantho/dermie
    Xantho : radical qui signifie « de couleur jaune »
    dermie : radical qui signifie « peau »
    Xanthodermie – coloration jaune de la peau.

EXERCICE DE LECTURE DIRIGÉE

■ ■ REMARQUE Pour trouver la définition de chacun de ces termes, référez-vous au dictionnaire médical de votre choix, aux glossaires contenus dans vos ouvrages de référence ou allez dans MonLab.

1. Érythémat/euses
Érythémat: radical qui signifie « érythème »
euses : suffixe qui sert à former un adjectif féminin pluriel
Érythémateuses (féminin pluriel de « érythémateux ») – qui sont de la nature de l'érythème, qui se rapportent à l'érythème.

2. Squam/euses
Squam: radical dérivé du latin *squama*
euses : suffixe qui sert à former un adjectif féminin pluriel
Squameuses (féminin pluriel de « squameux ») – qui sont de la nature d'une squame ou qui se rapportent à une squame.

3. Dermato/logue
Dermat: radical qui signifie « peau »
logue : suffixe qui sert à désigner, entre autres, un spécialiste dans une branche de la médicine
Dermatologue – spécialiste qui traite les affections de la peau.

4. Dermat/ose
Dermat: radical qui signifie « peau »
ose : suffixe qui désigne une maladie (ici, non inflammatoire)
Dermatose – affection non inflammatoire de la peau.

5. Squames : radical dérivé du latin *squama*; ici, forme plurielle.

6. Cutan/ée
Cutan: radical qui signifie « peau »
ée : suffixe qui sert à former un adjectif féminin singulier
Cutanée – qui est de la nature de la peau, qui se rapporte à la peau.

7. Psor/iasis
Psor: radical qui signifie « rugueux »
iasis : suffixe qui désigne un état morbide ou une maladie
Psoriasis – état morbide de la peau, qui la rend rugueuse.

8. Kérato/lyt/ique
Kérato: radical qui signifie « couche cornée (de la peau) »
lyt : suffixe qui désigne un processus de destruction
ique : suffixe qui sert à former un adjectif signifiant « qui se rapporte à »
Kératolytique – qui se rapporte à la destruction de la couche cornée de la peau.

9. Érythro/dermie
Érythro : radical qui signifie « couleur rouge »
dermie : radical qui signifie « peau »
Érythrodermie – syndrome de diverses origines, caractérisé par une rougeur inflammatoire de toute la peau (au sens strict, peau de couleur rouge).

10. Psor/ias/ique
Psor: radical qui signifie « rugueux »
ias : suffixe qui désigne un état morbide ou une maladie
ique : suffixe qui sert à former un adjectif signifiant « qui se rapporte à »
Psoriasique – qui se rapporte à un état morbide de la peau, qui la rend rugueuse ; qui se rapporte au psoriasis.

EXERCICE D'ASSOCIATION

1. ONYCHO (radical) LYSE (suffixe)
2. DERM (radical) OÏDE (suffixe)
3. DERMAT (radical) OME (suffixe)
4. HIDRO (radical) RRHÉE (suffixe)
5. DERMAT (radical) ITE (suffixe), DERM (radical) ITE (suffixe)
6. DERMATO (radical) LOGIE (suffixe)
7. ONYCHO (radical) MYC (radical) OSE (suffixe)
8. DERMO (radical) PATHIE (suffixe)
9. DERM (radical) ITE (suffixe)
10. HIDR (radical) OSE (suffixe)
11. DERMO (radical) ÉPI (préfixe) DERM (radical) ITE (suffixe)
12. ÉPI (préfixe) DERM (radical) IQUE (suffixe)
13. ONYCHO (radical) PATHIE (suffixe)

Mots croisés

```
     1 2 3 4 5 6 7 8 9 10 11 12 13 14 15 16 17 18 19 20 21
 1   E X O M P H A L O C  E  L  E     C  U  T  A  N  E
 2   P   M     I           P           U        A     V
 3   I M P E T I G O   H I R S U T I S M E           I
 4   D   H   Y         E   D  C  A           V     T
 5   E A P R O S O P I E   A  C  N  E     C  U  T  I
 6   R L I       I       R B                 S     L
 7   M O A   S U D     M I                   I     I
 8   O C S       E     O                 S     G
 9   D E I       R M           O  N  Y  C  H  O
10   D L S   P   M     Y                   A
11   E E   F A C I   C O M E D O N         B     P
12   N     R   T     O                     I     R
13   D E R M A T O M E   S E B U M   A D E N O
14   U O   E   N       E                   U     S
15   R S   V   Y                           X     O
16   I       C       D  P                 P
17   L       H   P   E  E  C Z E M A
18   L       I   I   R  L
19   O M P H A L E C T O M I E
20   N           Y
21   O N Y C H O R R H E X I S
```

CHAPITRE 4

Le système **digestif**

EXERCICE DE TERMINOLOGIE

1. Cirrhose
2. Dyspepsie
3. Gastrite
4. Iléus
5. Nausée
6. Prognathie
7. Stéatorrhée
8. Appendicite
9. Colite
10. Éructation
11. Muguet
12. Tympanisme
13. Pyrosis
14. Constipation
15. Cholélithiase
16. Fécalome
17. Melæna
18. Colique

19. Hématémèse
20. Sialolithe
21. Volvulus
22. Ulcère
23. Péritonite
24. Vomissement

EXERCICE PORTANT SUR LES RADICAUX

Radical	Terme
An	Anus
Bil	Bile
Bucc	Bouche
Cæc	Cæcum
Chol	Bile
Cyst	Vésicule
Duodén	Duodénum
Entér	Intestin
Gastr	Estomac
Hépat	Foie
Intestin	Intestin
Jéjun	Jéjunum
Labi	Lèvre
Œsophag	Œsophage
Pancréat	Pancréas
Proct	Anus
Pylor	Pylore
Sigmoïd	Sigmoïde (côlon)
Stoma	Estomac
Stomat	Bouche

EXERCICE D'ANALYSE LEXICOGRAPHIQUE

■ ■ REMARQUE Pour trouver la définition de chacun de ces termes, référez-vous au dictionnaire médical de votre choix, aux glossaires contenus dans vos ouvrages de référence ou allez dans MonLab.

1. Appendic/ectomie
   Appendic : radical qui signifie « appendice »
   ectomie : suffixe désignant « ablation chirurgicale »
   Appendicectomie – ablation chirurgicale de l'appendice vermiculaire.

2. Chol /angio /-entéro/stomie
   Chol : radical qui signifie « bile »
   angio : radical qui signifie « vaisseaux »
   entéro : radical qui signifie « intestin »
   stomie : suffixe (et substantif) qui signifie « abouchement chirurgical »
   Cholangio-entérostomie – abouchement par voie chirurgicale des vaisseaux biliaires à un segment de l'intestin.

3. Chol/angio/graphie
   Chol : radical qui signifie « bile »
   angio : radical qui signifie « vaisseaux »
   graphie : suffixe qui désigne, ici, un examen radiologique
   Cholangiographie – examen radiologique des vaisseaux biliaires.

4. Cholé/cyst/ite
   Cholé : radical qui signifie « bile »
   cyst : radical qui signifie « vésicule »
   ite : suffixe qui désigne une inflammation
   Cholécystite – inflammation de la vésicule biliaire.

5. Colo/recto/stomie
   Colo : radical qui signifie « côlon »
   recto : radical qui signifie « rectum »
   stomie : suffixe (et substantif) qui signifie « abouchement chirurgical »
   Colorectostomie – abouchement chirurgical du côlon au rectum.

6. Entér/ite
   Entér : radical qui signifie « intestin »
   ite : suffixe qui désigne une inflammation
   Entérite – inflammation de l'intestin.

7. Épi/gastr/ite
   Épi : préfixe qui signifie « au-dessus de »
   gastr : radical qui signifie « estomac »
   ite : suffixe qui désigne une inflammation
   Épigastrite – inflammation de l'épigastre, région située au-dessus de l'estomac.

8. Gastro/entér/ite
   Gastro : radical qui signifie « estomac »
   entér : radical qui signifie « intestin »
   ite : suffixe qui désigne une inflammation
   Gastroentérite – inflammation des muqueuses gastrique et intestinale.

9. Gastro/tomie
   Gastro : radical qui signifie « estomac »
   tomie : suffixe qui désigne une incision chirurgicale
   Gastrotomie – ouverture chirurgicale de l'estomac.

10. Hépat/ectomie
    Hépat : radical qui signifie « foie »
    ectomie : suffixe désignant une ablation chirurgicale
    Hépatectomie – ablation chirurgicale du foie.

11. Hépato/rrhexis
    Hépato : radical qui signifie « foie »
    rrhexis : suffixe qui désigne une rupture
    Hépatorrhexis – rupture du foie.

12. Hépato/rraphie
    Hépato : radical qui signifie « foie »
    rraphie : suffixe désignant la confection d'une suture chirurgicale
    Hépatorraphie – suture chirurgicale du foie.

13. Œsophago/gastro/duodéno/scopie
    Œsophago : radical qui signifie « œsophage »
    gastro : radical qui signifie « estomac »
    duodéno : radical qui signifie « duodénum »
    scopie : suffixe qui désigne un examen visuel
    Œsophago-gastro-duodénoscopie – examen visuel de l'œsophage, de l'estomac et du duodénum.

14. Vago/tomie
    Vago : radical qui signifie « nerf vague »
    tomie : suffixe qui désigne une incision chirurgicale
    Vagotomie – incision chirurgicale du nerf vague.

EXERCICE DE LECTURE DIRIGÉE

■ ■ REMARQUE Pour trouver la définition de chacun de ces termes, référez-vous au dictionnaire médical de votre choix, aux glossaires contenus dans vos ouvrages de référence ou allez dans MonLab.

1. Abdomin/al
   Abdomin : radical qui signifie « abdomen »
   al : suffixe qui sert à former un adjectif masculin
   Abdominal – qui est de la nature de, qui se rapporte à l'abdomen.

2. An/orexie
   An : préfixe qui signifie « absence de, manque de, perte, privation »
   orexie : radical qui signifie « appétit, faim »
   Anorexie – perte de l'appétit.

3. Nausées
   Le terme « nausées » est formé à partir du radical *nau* qui signifie « envie de vomir »
   Nausées – envie de vomir.

4. Vomissements
   Le terme vomissements est formé à partir du radical *vomi* qui signifie « vomir »
   Vomissements – fait de vomir, matière vomie.

5. Appendic/ite
   Appendic : radical qui signifie « appendice »
   ite : suffixe qui désigne une inflammation
   Appendicite – inflammation de l'appendice.

6. Périton/ite
   Périton : radical qui signifie « péritoine »
   ite : suffixe qui désigne une inflammation
   Péritonite – inflammation du péritoine.

7. Laparo/tomie
   Laparo : radical qui signifie « abdomen, paroi abdominale »
   tomie : suffixe qui désigne une incision chirurgicale
   Laparotomie – incision chirurgicale de la paroi abdominale.

8. Appendic/ectomie
   Appendic : radical qui signifie « appendice »
   ectomie : suffixe désignant une ablation chirurgicale
   Appendicectomie – ablation chirurgicale de l'appendice.

EXERCICE D'ASSOCIATION

1. GASTR (radical) IQUE (suffixe)
2. COLO (radical) COLO (radical) STOMIE (suffixe)
3. CHOLÉ (radical) CYSTO (radical) GRAPHIE (suffixe)
4. CHOLÉDOCHO (radical) LITHI (radical) ASE (suffixe)
5. HÉPAT (radical) ALGIE (suffixe)
6. ENTÉRO (radical) PATHIE (suffixe)
7. SIGMOÏDO (radical) SCOPIE (suffixe)
8. JÉJUNO (radical) PLASTIE (suffixe)
9. DUODÉN (radical) ITE (suffixe)
10. DYS (préfixe) PHAGIE (radical)
11. HÉMAT (radical) ÉMÈSE (radical)
12. AN (préfixe) OREXIE (radical)

Mots croisés

```
     1  2  3  4  5  6  7  8  9 10 11 12 13 14 15 16 17 18 19 20 21
 1   V  O  L  V  U  L  U  S              H  E  P  A  R     C     E
 2   A           L  C                       E  H              N
 3   G  A  S  T  R  E  C  T  O  M  I  E     P  A  N  C  R  E  A  T
 4   O        O  E  L        H                 T     I        E
 5   T     I  C  T  E  R  E     V  A  T  E  R     O  L     R
 6   O     N        E              P           C  O     O
 7   M  U  G  U  E  T        F  E  C  A  L  O  M  E        P
 8   I     E              T                 L        A
 9   E     S  T  E  A  T  O  R  R  H  E  E     I  L  E  U  S  T
10      T              C                             H
11   E  P  I  G  A  S  T  R  I  T  E     T  Y  P  H  L  O  I
12   N  O                    A                       E
13   T     N  A  U  S  E  E     C  H  Y  M  E     B  U  C  C
14   E     N           E  I           I  O
15   R  E  C  T  O     T     P  E           I  L  E
16   O     H  D  E     A           I  U
17   T     I  O  R     T           Q  U
18   O     L  N  I                 U  E
19   M  O  T     T  Y  M  P  A  N  I  S  M  E     E
20   I     E
21   E
```

CHAPITRE 5

Le système **cardiovasculaire**, le **sang** et le système **lymphatique**

EXERCICE DE TERMINOLOGIE

1. Varice du membre inférieur
2. Anévrisme
3. Mononucléose
4. Flutter
5. Hémophilie
6. Thalassémie
7. Angine de poitrine
8. Extrasystole
9. Polycythémie
10. Souffle
11. Myocardite
12. Anémie
13. Embolie
14. Coagulation
15. Hypertension artérielle
16. Éosinophilie
17. Thrombose veineuse
18. Hypotension artérielle
19. Lymphœdème
20. Cardiomyopathie
21. Purpura
22. Infarctus du myocarde
23. Fibrillation
24. Palpitations

EXERCICE PORTANT SUR LES RADICAUX

Radical	Terme
Angi	Vaisseaux sanguins
Aort	Aorte
Artér	Artère
Auricul	Oreillette
Cardi	Cœur

Radical	Terme
Coronar	Coronaire (artère)
Embol	Caillot sanguin
Émie	Sang
Globul	Globule
Hémat	Sang
Hémo	Sang
Phléb	Veine
Puls	Pouls
Rythm	Rythme
Séro	Sérum
Systol	Contraction, resserrement
Thrombo	Caillot
Valvul	Valvule
Vein	Veine
Ventricul	Ventricule

EXERCICE D'ANALYSE LEXICOGRAPHIQUE

■ ■ REMARQUE Pour trouver la définition de chacun de ces termes, référez-vous au dictionnaire médical de votre choix, aux glossaires contenus dans vos ouvrages de référence ou allez dans MonLab.

1. Artério/sclér/ose
   Artério : radical qui signifie « artère »
   sclér : radical qui signifie « épaississement »
   ose : suffixe qui désigne, ici, une affection chronique
   Artériosclérose – affection chronique caractérisée par l'épaississement des artères.

2. Artér/ite
   Artér : radical qui signifie « artère »
   ite : suffixe qui désigne une inflammation
   Artérite – inflammation d'une artère.

3. A/systolie
   A : préfixe qui désigne l'absence de, un défaut de, un manque
   systolie : radical qui signifie « contraction »
   Asystolie – absence de contractions (cardiaques).

4. Brady/cardie
   Brady : préfixe qui signifie « ralentissement »
   cardie : radical qui signifie « cœur »
   Bradycardie – ralentissement (des battements) du cœur.

5. Cardio/plégie
   Cardio : radical qui signifie « cœur »
   plégie : radical qui signifie « paralysie »
   Cardioplégie – paralysie du cœur.

6. Cardio/vascul/aire
   Cardio : radical qui signifie « cœur »
   vascul : radical qui signifie « petit vase » (vaisseau)
   aire : suffixe qui sert à former un adjectif
   Cardiovasculaire – relatif au cœur et aux vaisseaux sanguins.

7. Électro/cardio/gramme
   Électro : élément du radical « électricité »
   cardio : radical qui signifie « cœur »
   gramme : suffixe qui désigne un tracé ou un écrit
   Électrocardiogramme – tracé de l'activité électrique du cœur.

8. Électro/cardio/graphie
   Électro : élément du radical « électricité »
   cardio : radical qui signifie « cœur »

graphie : suffixe qui désigne un procédé donnant un document écrit
Électrocardiographie – procédé donnant un tracé de l'activité électrique du cœur.

9. Endo/card/ite
   Endo : préfixe qui signifie « à l'intérieur de, en dedans »
   card : radical qui signifie « cœur »
   ite : suffixe qui désigne une inflammation
   Endocardite – inflammation de la tunique interne du cœur (endocarde).

10. Hémo/gramme
    Hémo : radical qui signifie « sang »
    gramme : suffixe qui désigne un tracé ou un écrit
    Hémogramme – résultat (écrit) de l'analyse du sang.

11. Hémo/lyse
    Hémo : radical qui signifie « sang » et « hématie »
    lyse : suffixe qui signifie « destruction »
    Hémolyse – destruction des hématies (globules rouges).

12. Lymph/ang/ite
    Lymph : radical qui signifie « lymphe »
    ang : radical qui signifie « vaisseaux »
    ite : suffixe qui désigne une inflammation
    Lymphangite – inflammation des vaisseaux lymphatiques.

13. Péri/card/ite
    Péri : préfixe qui signifie « autour de »
    card : radical qui signifie « cœur »
    ite : suffixe qui désigne une inflammation
    Péricardite – inflammation du péricarde (tunique qui enveloppe le cœur).

14. Phléb/ite
    Phléb : radical qui signifie « veine »
    ite : suffixe qui désigne une inflammation
    Phlébite – inflammation d'une veine.

15. Phlébo/graphie
    Phlébo : radical qui signifie « veine »
    graphie : suffixe qui désigne, ici, un examen radiologique
    Phlébographie – examen radiologique d'une veine.

16. Tachy/cardie
    Tachy : préfixe qui signifie « rapide »
    cardie : radical qui signifie « cœur »
    Tachycardie – accélération des battements du cœur.

EXERCICE DE LECTURE DIRIGÉE

■ ■ REMARQUE Pour trouver la définition de chacun de ces termes, référez-vous au dictionnaire médical de votre choix, aux glossaires contenus dans vos ouvrages de référence ou allez dans MonLab.

1. Cardio/logue
   Cardio : radical qui signifie « cœur »
   logue : suffixe qui sert à désigner, entre autres, un spécialiste dans une branche de la médecine
   Cardiologue – médecin spécialisé dans le traitement des maladies du cœur.

2. Électro/cardio/gramme
   Électro : élément du radical « électricité »
   cardio : radical qui signifie « cœur »
   gramme : suffixe qui désigne un tracé
   Électrocardiogramme – tracé de l'activité électrique du cœur.

3. Card/iaque
   Card : radical qui signifie « cœur »
   iaque : suffixe qui sert à former un adjectif
   Cardiaque – qui est de la nature du cœur, qui se rapporte au cœur.

4. Myo/carde
   Myo : radical qui signifie « muscle »
   carde : radical qui signifie « cœur »
   Myocarde – muscle du cœur.

5. Coronar/iens
   Coronar : radical qui signifie « coronaire (artère du cœur) »
   iens : suffixe qui sert à former un adjectif pluriel qui indique l'origine
   Coronariens – qui provient (a son origine) des coronaires (artères du cœur).

6. Cardio/logie
   Cardio : radical qui signifie « cœur »
   logie : suffixe qui sert à désigner une étude méthodique, une science
   Cardiologie – science qui étudie les maladies du cœur.

7. Écho/cardio/graphie
   Écho : radical qui signifie « bruit, écho, son »
   cardio : radical qui signifie « cœur »
   graphie : suffixe qui désigne, ici, un procédé d'enregistrement
   Échocardiographie – exploration du cœur à l'aide d'ultrasons.

8. Ventricul/aire
   Ventricul : radical qui signifie « ventricule »
   aire : suffixe qui sert à former un adjectif
   Ventriculaire – qui est de la nature des ventricules, qui se rapporte aux ventricules (du cœur).

9. Coronaro/graphie
   Coronaro : radical qui signifie « coronaire (artère du cœur) »
   graphie : suffixe qui désigne ici un examen radiologique
   Coronarographie – examen radiologique des coronaires (artères du cœur).

10. Coron/aire
    Coron : radical qui signifie « coronaire (artère du cœur) »
    aire : suffixe qui sert à former un adjectif
    Coronaire – qui est de la nature des coronaires, qui se rapporte aux coronaires (artères du cœur).

11. Ventriculo/graphie
    Ventriculo : radical qui signifie « ventricule »
    graphie : suffixe qui désigne ici un examen radiologique
    Ventriculographie – examen radiologique des ventricules (du cœur).

12. Ventricule
    Le terme ventricule est dérivé du latin *ventriculus,* qui signifie « petit ventre »
    Ventricule – chacun des deux compartiments inférieurs du cœur.

13. Cardio/vascul/aire
    cardio : radical qui signifie « cœur »
    vascul : radical qui signifie « petit vaisseau sanguin »
    aire : suffixe qui sert à former un adjectif.
    Cardiovasculaire – qui est de la nature du cœur et des vaisseaux sanguins, qui se rapporte à eux.

14. Aorto/coronar/ien
    Aorto : radical qui signifie « aorte »
    coronar : radical qui signifie « coronaire (artère du cœur) »
    ien : suffixe qui sert à former un adjectif qui indique l'origine
    Aorto-coronarien – qui vient (qui a son origine) de l'aorte et des artères coronaires (artères du cœur).

15. An/émie
    An : préfixe qui signifie « absence de, manque de, perte, privation »
    émie : radical qui signifie « sang »
    Anémie – appauvrissement du sang.

16. Ferri/prive
    Ferri : radical qui signifie « fer »
    prive : radical qui signifie « privé de, carence »
    Ferriprive – qualifie un état de carence en fer.

17. Globul/aires
    Globul : radical dérivé du latin *globulus* (petit globe)
    aires : suffixe qui sert à former un adjectif
    Globulaires – qui est de la nature des globules, qui se rapporte aux globules (du sang).

EXERCICE D'ASSOCIATION

1. AORTO (radical) GRAPHIE (suffixe)
2. ARTÉRI (radical) OLE (suffixe)
3. ARTÉRIO (radical) TOMIE (suffixe)
4. CARDIO (radical) MÉGALIE (suffixe)
5. EMBOL (radical) ECTOMIE (suffixe)
6. HÉMO (radical) GLOBINE (radical)
7. HÉMO (radical) PHOBIE (suffixe)
8. HYPER (préfixe) LIP (radical) ÉMIE (radical)
9. HYPO (préfixe) GLYC (radical) ÉMIE (radical)
10. LYMPH (radical) ANGI (radical) OME (suffixe)
11. PHLÉB (radical) ECTASIE (suffixe)
12. VEIN (radical) EUX (suffixe)

Mots croisés

	1	2	3	4	5	6	7	8	9	10	11	12	13	14	15	16	17	18	19	20	21
1	H	Y	P	O	P	L	A	Q	U	E	T	T	O	S	E			H			
2	Y		O										M				E				
3	P	A	N	C	Y	T	O	P	E	N	I	E		B	I	E	R	M	E	R	
4	E		T								S	O		M	A			A			
5	R		A	N	E	V	R	I	S	M		P	H	L	E	B	I	T	E		
6	A		G		C							O		E	O						
7	Z		E		C	A	L	C	I		A		L				L	A			
8	O			H						N		I		L				P			
9	T	A	C	H	Y	C	A	R	D	I	E		A	R	Y	T	H	M	I	E	
10	E		A	M		N				M	T		M			C			P		
11	M		L	O		G				I	I		P						E		
12	I		C	S		I		C		E	O		H						T		
13	E		E	E		O		A			N		A	N	G	E	I	T	E		
14			M			P		R	A			N							C		
15	E	M	I	E		C	A	R	D	I	O	P	L	E	G	I	E		H		
16	M	E	A	T		I		R	I		Y	I							I		
17	B		N	H		T		H		T	M	T							E		
18	O		G	I				I			P	E									
19	L	E	U	C	O	P	E	N	I	E		H									
20	I			R																	
21	E																				

CHAPITRE 6
Le système **respiratoire**

EXERCICE DE TERMINOLOGIE

1. Laryngite
2. Dyspnée
3. Pneumonie
4. Asbestose
5. Trachéite
6. Râle
7. Pneumologie
8. Asthme
9. Pharyngite
10. Lobectomie
11. Sifflement
12. Bronchectasie
13. Atélectasie
14. Pleurésie
15. Emphysème pulmonaire
16. Tuberculose pulmonaire
17. Expectoration
18. Tirage
19. Pyothorax
20. Hyperventilation

EXERCICE PORTANT SUR LES RADICAUX

Radical	Terme
Adénoïd	Végétations adénoïdes
Aéro	Air
Alvéol	Alvéole, alvéolaire
Amygdal	Amygdale
Bronch	Bronche
Laryng	Larynx
Oxy	Oxygène
Pharyng	Pharynx
Phtisi	Tuberculose pulmonaire
Pleur	Plèvre
Pnée	Respiration, respirer
Pneumat/Pneumo	Poumon
Pneumat/Pneumo	Air, gaz
Pulmo	Poumon
Spiro	Respiration, respirer
Strid	Sifflement
Thoraco	Thorax
Tonsill	Amygdale
Traché	Trachée
Vent	Air, ventilation

EXERCICE D'ANALYSE LEXICOGRAPHIQUE

■ ■ ■ REMARQUE Pour trouver la définition de chacun de ces termes, référez-vous au dictionnaire médical de votre choix, aux glossaires contenus dans vos ouvrages de référence ou allez dans MonLab.

1. Alvéol/ite
   Alvéol : radical qui signifie « alvéole »
   ite : suffixe qui désigne une inflammation
   Alvéolite – inflammation des alvéoles.

2. Amygdal/ectomie
   Amygdal : radical qui signifie « amygdale »
   ectomie : suffixe désignant une ablation chirurgicale
   Amygdalectomie – ablation chirurgicale des amygdales.

3. Amygdal/ite
   Amygdal : radical qui signifie « amygdale »
   ite : suffixe qui désigne une inflammation
   Amygdalite – inflammation des amygdales.

4. An/ox/émie
   An : préfixe qui signifie « absence de, manque de, privation »
   ox : radical qui signifie « oxygène »
   émie : radical qui signifie « sang »
   Anoxémie – absence d'oxygène dans le sang.

5. An/oxie
   An : préfixe qui signifie « absence de, manque de, privation »
   oxie : radical qui signifie « oxygène »
   Anoxie – diminution de l'apport d'oxygène aux tissus.

6. Bronch/ite
   Bronch : radical qui signifie « bronche »
   ite : suffixe qui désigne une inflammation
   Bronchite – inflammation des bronches.

7. Broncho/spasme
   Broncho : radical qui signifie « bronche »
   spasme : ici, suffixe qui signifie « contraction »
   Bronchospasme – contraction d'une bronche.

8. Hémo/pneumo/thorax
   Hémo : radical qui signifie « sang »
   pneumo : radical qui signifie « air »
   thorax : radical qui signifie « thorax »
   Hémopneumothorax – (présence de) sang et d'air dans le thorax.

9. Hémo/thorax
   Hémo : radical qui signifie « sang »
   thorax : radical qui signifie « thorax »
   Hémothorax – (présence de) sang dans le thorax.

10. Laryngo/tomie
    Laryngo : radical qui signifie « larynx »
    tomie : suffixe désignant une incision chirurgicale
    Laryngotomie – incision chirurgicale du larynx.

11. Pneumo/thorax
    Pneumo : radical qui signifie « air »
    thorax : radical qui signifie « thorax »
    Pneumothorax – (présence d') air dans le thorax.

12. Thoraco/centèse
    Thoraco : radical qui signifie « thorax »
    centèse : suffixe qui désigne une ponction
    Thoracocentèse – ponction du thorax.

13. Trachéo/stomie
    Trachéo : radical qui signifie « trachée »
    stomie : suffixe (et substantif) qui signifie « abouchement chirurgical »
    Trachéostomie – abouchement chirurgical de la trachée (à la peau).

14. Trachéo/tomie
    Trachéo : radical qui signifie « trachée »
    tomie : suffixe qui désigne une incision chirurgicale
    Trachéotomie – incision chirurgicale de la trachée.

EXERCICE DE LECTURE DIRIGÉE

■ ■ REMARQUE Pour trouver la définition de chacun de ces termes, référez-vous au dictionnaire médical de votre choix, aux glossaires contenus dans vos ouvrages de référence ou allez dans MonLab.

1. **Pulmon/aire**
Pulmon : radical qui signifie « poumon »
aire : suffixe qui sert à former un adjectif
Pulmonaire – de la nature du poumon, qui se rapporte au poumon.

2. **Hémo/ptysie**
Hémo : radical qui signifie « sang »
ptysie : suffixe qui signifie « crachat, expectoration »
Hémoptysie – expectorations teintées de sang.

3. **Dys/pnée**
Dys : préfixe qui exprime un manque, une difficulté, un trouble
pnée : radical qui signifie « respiration »
Dyspnée – respiration difficile.

4. **Thorac/ique**
Thorac : radical qui signifie « thorax »
ique : suffixe qui sert à former un adjectif
Thoracique – qui se rapporte au thorax.

5. **Pneumo/logue**
Pneumo : radical qui signifie « poumon »
logue : suffixe qui sert à désigner, entre autres, un spécialiste dans une branche de la médecine
Pneumologue – médecin spécialisé dans le traitement des maladies du poumon.

6. **Broncho/scopie**
Broncho : radical qui signifie « bronche »
scopie : suffixe qui désigne un examen visuel
Bronchoscopie – examen visuel des bronches.

7. **Lob/ectomie**
Lob : radical qui signifie « lobe »
ectomie : suffixe désignant une ablation chirurgicale
Lobectomie – ablation chirurgicale d'un lobe (du poumon).

8. **Pneumon/ectomie**
Pneumon : radical qui signifie « poumon »
ectomie : suffixe désignant une ablation chirurgicale
Pneumonectomie – ablation chirurgicale du poumon.

EXERCICE D'ASSOCIATION

1. AMYGDALO (radical) TOME (suffixe)
2. BRONCHI (radical) OL (suffixe) ITE (suffixe)
3. BRONCHO (radical) SCOPIE (suffixe)
4. LARYNGO (radical) PLÉGIE (radical)
5. LARYNGO (RADICAL) SCOPE (suffixe)
6. PLEUR (radical) AL (suffixe)
7. PLEURO (radical) TOMIE (suffixe)
8. PNEUMO (radical) CYTE (radical)
9. SPIRO (radical) GRAMME (suffixe)
10. THORAC (radical) IQUE (suffixe)
11. THORACO (radical) TOMIE (suffixe)
12. TRACHÉ (radical) ITE (suffixe)

Mots croisés

	1	2	3	4	5	6	7	8	9	10	11	12	13	14	15	16	17	18	19	20	21
1	T	R	A	C	H	E	O	S	T	O	M	I	E		S		B				A
2	I					X									P		R				P
3	R	A	L	E		H	Y	P	E	R	V	E	N	T	I	L	A	T	I	O	N
4	A	A													R		C				E
5	G		R		E	M	P	H	Y	S	E	M	E		O		H				E
6	E		Y					L							M		Y				
7	A	N	O	X	I	E		E	M	P	Y	E	M	E	P						A
8	S		G					U							T		N				S
9	P	N	E	E		B	R	O	N	C	H				R		E				E
10	I		C										L		I		E		P		B
11	R		T		A		H	E	M	A	T	O	S	E			U		S		E
12	O		O		S								B		L		L		O		S
13			M		T	H	O	R	A	C	O		E		A		M		R		T
14			H										C		R		O				S
15	P	N	E	U	M	O	L	O	G	I	E		T	A	C	H	Y	P	N	E	E
16	H		E		A								O				N				A
17	T				R		P	N	E	U	M	O					G				I
18	I				Y								I				I				R
19	S		D	Y	S	P	N	E	E		P	N	E	U	M	A	T		E		
20	I				G												E				
21																					

CHAPITRE 7

Le système **urinaire** et le système **génital**

EXERCICE DE TERMINOLOGIE

1. Avortement
2. Prostatite
3. Vaginisme
4. Cystocèle
5. Phimosis
6. Endométrite
7. Synéchie utérine
8. Balanite
9. Vasectomie
10. Cervicite
11. Priapisme
12. Grossesse ectopique
13. Hystérectomie
14. Curetage de l'utérus
15. Oligohydramnios
16. Insuffisance rénale
17. Multiparité
18. Rectocèle
19. Dilatation de l'utérus
20. Rétention placentaire
21. Hyperplasie bénigne de la prostate
22. Salpingectomie
23. Hydrocèle
24. Hydronéphrose
25. Polyhydramnios
26. Chorio-amniotite
27. Prééclampsie
28. Endométriose
29. Césarienne
30. Cystorraphie

EXERCICE PORTANT SUR LES RADICAUX

Radical	Terme
Amnio	Amnios (membrane)
Colpo	Vagin
Cyst	Vessie
Épisio	Périnée
Galacto	Lait, sécrétion lactée
Glomérul	Glomérule
Gynéco	Femme, sexe féminin
Hystér	Utérus
Mast	Glande mammaire, mamelle, sein
Métr	Utérus
Mictio	Uriner, urine
Prostat	Prostate
Puerpér	Accouchée, post-accouchement, relatif à l'accouchement
Pyél	Bassinet ou cavité du rein
Salping	Trompe (de Fallope ou utérine)
Urétér	Uretère
Urétr	Urètre
Utéro	Utérus
Vésic	Vessie
Vulv	Vulve

EXERCICE D'ANALYSE LEXICOGRAPHIQUE

■ ■ REMARQUE Pour trouver la définition de chacun de ces termes, référez-vous au dictionnaire médical de votre choix, aux glossaires contenus dans vos ouvrages de référence ou allez dans MonLab.

1. Cervic/ite
Cervic : radical qui signifie « col utérin »
ite : suffixe qui désigne une inflammation
Cervicite – inflammation du col utérin.

2. Cyst/ite
Cyst : radical qui signifie « vessie »
ite : suffixe qui désigne une inflammation
Cystite – inflammation de la vessie.

3. Cysto/-urétro/scopie
Cysto : radical qui signifie « vessie »
urétro : radical qui signifie « urètre »
scopie : suffixe qui désigne un examen visuel
Cysto-urétroscopie – examen visuel de l'urètre et de la vessie.

4. Glomérulo/néphr/ite
Glomérulo : radical qui signifie « glomérule »
néphr : radical qui signifie « rein »
ite : suffixe qui désigne une inflammation
Glomérulonéphrite – inflammation des glomérules du rein.

5. Hystéro/scopie
Hystéro : radical qui signifie « utérus »
scopie : suffixe qui désigne un examen visuel
Hystéroscopie – examen visuel de l'utérus.

6. Leuco/rrhée
Leuco : radical qui signifie « couleur blanche »
rrhée : suffixe qui désigne un écoulement
Leucorrhée – écoulement de couleur blanche.

7. Mast/ite
Mast : radical qui signifie « sein »
ite : suffixe qui désigne une inflammation
Mastite – inflammation du sein.

8. Néphro/pathie
Néphro : radical qui signifie « rein »
pathie : suffixe qui désigne une affection
Néphropathie – affection du rein.

9. Oligo/spermie
Oligo : préfixe qui signifie « peu, peu nombreux »
spermie : radical qui signifie « sperme »
Oligospermie – insuffisance de la concentration de spermatozoïdes dans le sperme (littéralement, peu de sperme).

10. Pyélo/néphr/ite
Pyélo : radical qui signifie « bassinet »
néphr : radical qui signifie « rein »
ite : suffixe qui désigne une inflammation
Pyélonéphrite – inflammation du bassinet du rein.

11. Salping/ite
Salping : radical qui signifie « trompe de Fallope ou utérine »
ite : suffixe qui désigne une inflammation
Salpingite – inflammation de la trompe de Fallope ou utérine.

12. Urétr/ite
Urétr : radical qui signifie « urètre »
ite : suffixe qui désigne une inflammation
Urétrite – inflammation de l'urètre.

13. Vaso/vaso/stomie
Vaso : radical qui signifie canal déférent
stomie : suffixe (et substantif) qui signifie « abouchement chirurgical »
Vasovasostomie – abouchement chirurgical des canaux déférents.

EXERCICE DE LECTURE DIRIGÉE

■ ■ REMARQUE Pour trouver la définition de chacun de ces termes, référez-vous au dictionnaire médical de votre choix, aux glossaires contenus dans vos ouvrages de référence ou allez dans MonLab.

CAS Nº 1

1. Pollaki/urie
Pollaki : préfixe qui signifie « fréquemment, souvent »
urie : radical qui signifie « miction, uriner »
Pollakiurie – miction fréquentes ou le fait d'uriner fréquemment ou souvent.

2. Miction
Le terme miction est formé du radical mictio qui signifie « action d'uriner ou urine »
Miction – action d'uriner ; écoulement d'urine.

3. Dys/urie
Dys : préfixe qui signifie « difficulté »
urie : radical qui signifie « miction, uriner »
Dysurie – miction difficile.

4. Prostat/ique
Prostat : radical qui signifie « prostate »
ique : suffixe qui sert à former un adjectif
Prostatique – qui se rapporte à la prostate.

5. Post/mictionn/el
Post : préfixe qui signifie « qui suit »

mictio : radical qui signifie « action d'uriner ou urine »
el : suffixe qui sert à former un adjectif masculin
Postmictionnel – qui se rapporte à la période qui suit
l'action uriner.

6. Cysto/urétro/scopie
Cysto : radical qui signifie « vessie »
urétro : radical qui signifie « urètre »
scopie : suffixe qui désigne un examen visuel
Cysto-urétroscopie – examen visuel de l'urètre et de la vessie.

7. Endo/vésic/al
Endo : préfixe qui signifie « à l'intérieur de »
vésic : radical qui signifie « vessie »
al : suffixe qui sert à former un adjectif masculin singulier
Endovésical – qui se rapporte à la zone à l'intérieur
de la vessie, qui se trouve dans cette zone.

8. Hémat/urie
Hémat : radical qui signifie « sang »
urie : radical qui signifie « urine »
Hématurie – présence de sang dans l'urine.

9. Urin/aire
Urin : radical qui signifie « urine »
aire : suffixe qui sert à former un adjectif
Urinaire – de la nature de l'urine, qui se rapporte à l'urine.

10. Trans/urétr/ale
Trans : préfixe qui signifie « à travers »
urètr : radical qui signifie « urètre »
ale : suffixe qui sert à former un adjectif féminin singulier
Transurétrale – qui passe à travers l'urètre.

CAS Nº 2

11. Génit/ales
Génit : radical qui signifie « reproduction »
ales : suffixe qui sert à former un adjectif féminin pluriel
Génitales – qui se rapportent à la reproduction.

12. Pré/menstru/elles
Pré : préfixe qui marque l'antériorité dans le temps
menstru : radical qui signifie « menstruation »
elles : suffixe qui sert à former un adjectif féminin pluriel
Prémenstruelles – qui précèdent la menstruation.

13. Dys/méno/rrhée
Dys : préfixe exprimant la difficulté, le manque
méno : radical qui signifie « menstruation »
rrhée : suffixe qui désigne un écoulement
Dysménorrhée – menstruation (écoulement de sang
menstruel) difficile et douloureuse.

14. Méno/rragies
Méno : radical qui signifie « menstruation »
rragie : suffixe qui signifie « hémorragie »
Ménorragies (pluriel) – hémorragie pendant la
menstruation.

15. Vagin/al
Vagin : radical qui signifie « vagin »
al : suffixe qui sert à former un adjectif masculin
Vaginal – qui est de la nature du vagin, qui se rapporte
au vagin.

16. Puerpér/ale
Puerpér : radical qui signifie « accouchée, relatif
à l'accouchement »
ale : suffixe qui sert à former un adjectif féminin
Puerpérale – relative à la période qui suit l'accouchement.

17. Chlamydi/ose
Chlamydi : radical qui désigne la bactérie chlamydia
ose : suffixe qui désigne une affection chronique
Chlamydiose – affection chronique due au chlamydia.

18. Utér/in
Utér : radical qui signifie « utérus »
in : suffixe qui sert à former un adjectif masculin
Utérin – qui se rapporte à l'utérus, qui est de la nature
de l'utérus.

19. Colpo/scopie
Colpo : radical qui signifie « vagin »
scopie : suffixe qui désigne un examen visuel
Colposcopie – examen visuel du vagin.

20. Hystéro/salpingo/graphie
Hystéro : radical qui signifie « utérus »
salpingo : radical qui signifie « trompe de Fallope ou utérine »
graphie : suffixe qui désigne ici un examen radiologique
Hystérosalpingographie – examen radiologique de l'utérus
et des trompes de Fallope (ou utérines).

21. Hydro/salpinx
Hydro : radical qui signifie « liquide »
salpinx : radical qui signifie « trompe de Fallope ou utérine »
Hydrosalpinx – présence de liquide dans une trompe
de Fallope (ou utérine).

22. Hystéro/scopie
Hystéro : radical qui signifie « utérus »
scopie : suffixe qui désigne un examen visuel
Hystéroscopie – examen visuel de l'utérus.

23. Endo/mètre
Endo : préfixe qui signifie « à l'intérieur de »
mètre : radical qui signifie « utérus »
Endomètre – (muqueuse) qui tapisse l'utérus.

CAS Nº 3

24. Multi/geste
Multi : préfixe qui signifie « plusieurs »
geste : radical qui signifie « grossesse »
Multigeste – (femme qui a eu) plusieurs grossesses.

25. Menstruation
Le terme menstruation est formé du radical *menstr* qui
signifie « menstruation ».

26. Obstétric/ien
Obstétric : radical qui signifie « accouchement, grossesse »
ien : suffixe qui sert à former un adjectif qui indique une origine
Obstétricien – (médecin) spécialiste de la grossesse
et des accouchements.

27. Utér/ine
Utér : radical qui signifie « utérus »
ine : suffixe qui sert à former un adjectif féminin singulier
Utérine – qui se rapporte à l'utérus, qui est de la nature
de l'utérus.

28. Fœt/ale
Fœt : radical qui signifie « fœtus »
ale : suffixe qui sert à former un adjectif féminin singulier
Fœtale – relative au fœtus.

29. Obstétric/ales
Obstétric : radical qui signifie « accouchement, grossesse »
ales : suffixe qui sert à former un adjectif féminin pluriel
Obstétricales – qui se rapportent à la grossesse
et à l'accouchement.

30. Épisio/tomie
Épisio : radical qui signifie « périnée »
tomie : suffixe qui désigne une incision chirurgicale
Épisiotomie – incision chirurgicale du périnée.

31. Péri/vagin/al
Péri : préfixe qui signifie « autour de, tout autour »
vagin : radical du latin *vagina*
al : suffixe qui sert à former un adjectif masculin singulier
Périvaginal – qui est tout autour du vagin.

32. Génit/ale
Génit : radical qui signifie « reproduction »
ale : suffixe qui sert à former un adjectif féminin singulier
Génitale – relative à la reproduction.

33. Vagin/al
Vagin : radical du latin *vagina*
al : suffixe qui sert à former un adjectif masculin singulier
Vaginal – qui est de la nature du vagin, qui se rapporte au vagin.

34. Pubo/vagin/aux
Pubo : radical qui signifie « pubis »
vagin : radical du latin *vagina*
aux : suffixe qui sert à former un adjectif masculin pluriel
Pubovaginaux – qui sont relatifs au pubis et au vagin.

EXERCICE D'ASSOCIATION

1. AMNIO (radical) CENTÈSE (suffixe)
2. BALAN (radical) ITE (suffixe)
3. CERVIC (radical) AL (suffixe)
4. CLITORID (radical) ECTOMIE (suffixe)
5. COLPO (radical) CÈLE (suffixe)
6. COLPO (radical) RRAPHIE (suffixe)
7. CYSTO (radical) LITHO (radical) TOMIE (suffixe)
8. CYSTO (radical) STOMIE (suffixe)
9. ÉPIDIDYM (radical) ITE (suffixe)
10. GALACTO (radical) RRHÉE (suffixe)
11. MASTO (radical) PATHIE (suffixe)
12. NÉPHRO (radical) LOGUE (suffixe)
13. ORCHIDO (radical) PEXIE (suffixe)

Mots croisés

	1	2	3	4	5	6	7	8	9	10	11	12	13	14	15	16	17	18	19	20	21
1	C	H	O	R	I	O		A	M	N	I	O	T	I	Q	U	E				
2	Y								I							L					
3	S	A	L	P	I	N	G	E	C	T	O	M	I	E		C	Y	S	T		
4	T		E			Y		T		R						T			H		
5	O		I		M	E	N	I		C	A	L	C	I	U	R	I	E			
6	C		O					O		H						O			L		
7	E		M	A	M	M	O			I		H									
8	L		Y			V		H		Y		Y				O					
9	E		O	L	I	G	O	H	Y	D	R	A	M	N	I	O	S				
10			M			G		D		E		C				C					
11	P	Y	E	L	I	T	E		R		M	E	N	A	R	C	H	E			
12	A					N		O		E						E		S			
13	R			P		E		S		T	E	S	T		C	O	L	P	O		
14	E			R		S		A		R		C						E			
15	U	R		O		E		L		I		R		N	E	P	H	R			
16	N			S				P		T		O				Y		M			
17	I		M	E	T	R		I		E		T				U					
18	E			A				N		A						R					
19		C	Y	S	T	O	P	E	X	I	E		L		E	P	I	S	I	O	
20										L						E					
21																					

CHAPITRE 8

Le système **musculaire**

EXERCICE DE TERMINOLOGIE

1. Entorse
2. Lumbago
3. Contraction
4. Spasme
5. Ankylose
6. Hallux rigidus
7. Articulation
8. Subluxation
9. Goutte
10. Luxation
11. Décontraction

EXERCICE PORTANT SUR LES RADICAUX

Radical	Terme
Aponévr	Aponévrose
Arthr	Articulation
Articul	Articulation
Burs	Bourse
Capsul	Capsule (articulaire)
Chondr	Cartilage
Condyl	Condyle, renflement
Desmo	Ligament
Fasci	Fascia
Ligament	Ligament
Ménisc	Ménisque
Muscul	Muscle
Myo	Muscle
Rhumat	Rhumatisme
Sarc	Muscle
Stell	Contracter, contraction, resserrer
Sthénie	Force
Synov	Synoviale
Tend	Tendon
Téno	Tendon

EXERCICE D'ANALYSE LEXICOGRAPHIQUE

■ ■ REMARQUE Pour trouver la définition de chacun de ces termes, référez-vous au dictionnaire médical de votre choix, aux glossaires contenus dans vos ouvrages de référence ou allez dans MonLab.

1. Aponévr/ectomie
Aponévr : radical qui signifie « aponévrose »
ectomie : suffixe désignant une ablation chirurgicale
Aponévrectomie – ablation chirurgicale de l'aponévrose.

2. Arthr/ite
Arthr : radical qui signifie « articulation »
ite : suffixe qui désigne une inflammation
Arthrite – inflammation d'une articulation.

3. Arthro/lyse
Arthro : radical qui signifie « articulation »
lyse : suffixe qui désigne une séparation
Arthrolyse – libération (littéralement séparation) d'une articulation ankylosée.

4. Arthro/pathie
   Arthro : radical qui signifie « articulation »
   pathie : suffixe qui désigne une affection
   Arthropathie – affection d'une articulation.

5. Arthr/ose
   Arthr : radical qui signifie « articulation »
   ose : suffixe qui désigne une affection chronique
   ou une affection non inflammatoire
   Arthrose – affection chronique (ou affection non inflammatoire) des articulations.

6. Burs/ite
   Burs : radical qui signifie « bourse »
   ite : suffixe qui désigne une inflammation
   Bursite – inflammation de la bourse (séreuse).

7. Cervic/algie
   Cervic : radical qui signifie « cou »
   algie : suffixe qui signifie « douleur »
   Cervicalgie – douleur au cou.

8. Ménisc/ectomie
   Ménisc : radical qui signifie « ménisque »
   ectomie : suffixe désignant une ablation chirurgicale
   Méniscectomie – ablation chirurgicale du ménisque.

9. My/a/sthénie
   My : radical qui signifie « muscle »
   a : préfixe qui désigne une absence, une privation
   sthénie : radical qui signifie « force »
   Myasthénie – absence de force musculaire.

10. Myo /carde
    Myo : radical qui signifie « muscle »
    carde : radical qui signifie « cœur »
    Myocarde – muscle du cœur.

11. Myo/pathie
    Myo : radical qui signifie « muscle »
    pathie : suffixe qui désigne une affection
    Myopathie – affection des muscles.

12. Poly/myos/ite
    Poly : préfixe qui signifie « plusieurs »
    myos : radical qui signifie « muscles »
    ite : suffixe qui désigne une inflammation
    Polymyosite – inflammation de plusieurs muscles.

13. Synov/ectomie
    Synov : radical qui signifie « synoviale »
    ectomie : suffixe désignant une ablation chirurgicale
    Synovectomie – ablation chirurgicale de la synoviale.

14. Synov/ite
    Synov : radical qui signifie « synoviale »
    ite : suffixe qui désigne une inflammation
    Synovite – inflammation de la synoviale.

15. Tendin/ite
    Tendin : radical qui signifie « tendon »
    ite : suffixe qui désigne une inflammation
    Tendinite – inflammation du tendon.

16. Téno/rraphie
    Téno : radical qui signifie « tendon »
    rraphie : suffixe qui désigne une suture chirurgicale
    Ténorraphie – suture chirurgicale d'un tendon.

17. Téno/synov/ite
    Téno : radical qui signifie « tendon »

synov : radical qui signifie « synoviale »
ite : suffixe qui désigne une inflammation
Ténosynovite – inflammation du tendon et de la synoviale.

EXERCICE DE LECTURE DIRIGÉE

■ ■ REMARQUE Pour trouver la définition de chacun
de ces termes, référez-vous au dictionnaire médical de
votre choix, aux glossaires contenus dans vos ouvrages
de référence ou allez dans MonLab.

1. Arthro/pathies
   Arthro : radical qui signifie « articulation »
   pathie : suffixe qui désigne une affection
   Arthropathies – affection des articulations.

2. Synov/ite
   Synov : radical qui signifie « synoviale »
   ite : suffixe qui désigne une inflammation
   Synovite – inflammation de la synoviale.

3. Rhumat/oïde
   Rhumat : radical qui signifie « rhumatisme »
   oïde : suffixe servant à former des adjectifs avec le sens
   de « semblable à, ressemblant à »
   Rhumatoïde – qui ressemble au rhumatisme, qui a l'aspect
   du rhumatisme.

4. Articul/aire
   Articul : radical qui signifie « articulation »
   aire : suffixe qui sert à former un adjectif
   Articulaire – qui est de la nature d'une articulation, qui se
   rapporte à une articulation.

5. Om/arthr/ose
   Om : radical qui signifie « épaule »
   arthr : radical qui signifie « articulation »
   ose : suffixe qui désigne une maladie chronique
   Omarthrose – maladie chronique atteignant l'articulation
   de l'épaule.

6. Péri/articul/aires
   Péri : préfixe qui signifie « autour de »
   articul : radical qui signifie « articulation »
   aires : suffixe qui sert à former un adjectif pluriel
   Périarticulaires – qui se situent autour de l'articulation.

7. Articulation
   Le terme articulation est formé du radical articul qui
   signifie « articulation ».

8. Chondro/calcin/ose
   Chondro : radical qui signifie « cartilage »
   calcin : radical qui signifie « calcium »
   ose : suffixe qui désigne une maladie chronique
   Chondrocalcinose – maladie chronique, caractérisée par
   l'accumulation de dépôts de calcium dans les cartilages.

EXERCICE D'ASSOCIATION

1. AB (préfixe) DUCTION (radical)
2. APONÉVROS (radical) ITE (suffixe)
3. ARTHR (radical) ALGIE (suffixe)
4. ARTHRO (radical) CENTÈSE (suffixe)
5. ARTHRO (radical) GRAPHIE (suffixe)
6. ARTHRO (radical) SCOPIE (suffixe)
7. CHONDRO (radical) MALACIE (suffixe)
8. FASCI (radical) ECTOMIE (suffixe)

9. LIGAMENT (radical) AIRE (suffixe)
10. MYO (radical) CYTE (radical)
11. RHUMATO (radical) LOGIE (suffixe)
12. TÉNO (radical) DÈSE (suffixe)

Mots croisés

```
   1  2  3  4  5  6  7  8  9 10 11 12 13 14 15 16 17 18 19 20 21
1  A  D  D  U  C  T  I  O  N        T  E  N  D
2  R                       E              T                    T
3  T  E  N  D  I  N  E  U  X     N     M  Y  E  C  T  O  M  I  E
4  H                       O              N                    N
5  R     S  P  A  S  M  E     R     C  H  O  N  D  R  I  T  E
6  O     E     O           R           S                 C
7  T  E  N  A  L  G  I  E     F  A  S  C  I  I  T  E        T  O
8  O     T     Y           F           P        T           O
9  M  Y  O     M  Y  O  P  A  T  H  I  E     E              M
10 I     R     Y           S  I           I
11 E     S     O           C  E           M  Y  O  S  I  T  E
12       E     S           I              Y
13 M     I              T  E  N  O  D  E  S  E
14 Y     C  T     A                       C
15 A  P  O  N  E  V  R  O  R  R  A  P  H  I  E     B  U  R  S
16 L     N           T              L     U
17 G     D  E  S  M  O     H     A  P  O  N  E  V  R
18 I     Y     Y           R                    S
19 E     L     N     M  Y  O  B  L  A  S  T  E     I
20             O                                T
21 S  Y  N  O  V  E  C  T  O  M  I  E        M  E  N  I  S  C
```

CHAPITRE 9

Le système **squelettique**

EXERCICE DE TERMINOLOGIE

1. Cyphose
2. Ostéoporose
3. Périoste
4. Hallux valgus
5. Fracture
6. Lordose
7. Fracture fermée
8. Épiphyse
9. Ostéophyte
10. Diaphyse
11. Fracture ouverte
12. Scoliose
13. Réduction de fracture

EXERCICE PORTANT SUR LES RADICAUX

Radical	Terme
Carp	Carpe (os du poignet)
Cléid	Clavicule
Cost	Côte
Cox	Hanche
Cubi	Cubitus
Dors	Dos
Fémor	Fémur
Gon	Genou
Humér	Humérus
Lomb	Lombes, région lombaire

Olécran	Olécrâne (coude)
Osté	Os
Phalang	Phalange
Rachi	Colonne vertébrale, épine dorsale, rachis
Rotul	Rotule
Scapul	Épaule, omoplate
Spin	Colonne vertébrale, épine, rachis
Spondyl	Vertèbre
Tars	Plat du pied, tarse
Vertébr	Vertèbre

EXERCICE D'ANALYSE LEXICOGRAPHIQUE

■ ■ REMARQUE Pour trouver la définition de chacun de ces termes, référez-vous au dictionnaire médical de votre choix, aux glossaires contenus dans vos ouvrages de référence ou allez dans MonLab.

1. Ost/ectomie
   Ost : radical qui signifie « os »
   ectomie : suffixe qui désigne une ablation chirurgicale
   Ostectomie – ablation chirurgicale d'un os.

2. Osté/ite
   Osté : radical qui signifie « os »
   ite : suffixe qui désigne une inflammation
   Ostéite – inflammation d'un os.

3. Ostéo/chondr/ite
   Ostéo : radical qui signifie « os »
   chondr : radical qui signifie « cartilage »
   ite : suffixe qui désigne une inflammation
   Ostéochondrite – inflammation du cartilage d'un os.

4. Ostéo/myél/ite
   Ostéo : radical qui signifie « os »
   myél : radical qui signifie « moelle »
   ite : suffixe qui désigne une inflammation
   Ostéomyélite – inflammation de la moelle osseuse.

5. Ostéo/tomie
   Ostéo : radical qui signifie « os »
   tomie : suffixe qui désigne une incision chirurgicale
   Ostéotomie – incision chirurgicale d'un os.

6. Péri/ost/ite
   Péri : préfixe qui signifie « autour de »
   ost : radical qui signifie « os »
   ite : suffixe qui désigne une inflammation
   Périostite – inflammation (de la membrane – périoste) qui entoure l'os.

EXERCICE DE LECTURE DIRIGÉE

■ ■ REMARQUE Pour trouver la définition de chacun de ces termes, référez-vous au dictionnaire médical de votre choix, aux glossaires contenus dans vos ouvrages de référence ou allez dans MonLab.

1. Fémor/al
   Fémor : radical qui signifie « fémur »
   al : suffixe qui sert à former un adjectif masculin singulier
   Fémoral – qui est de la nature du fémur, qui se rapporte au fémur.

2. Oss/euse
Oss : radical qui signifie « os »
euse : suffixe qui sert à former un adjectif féminin singulier
Osseuse – qui est de la nature des os, qui se rapporte aux os.

3. Ortho/péd/iste
Ortho : radical qui signifie « droit »
péd : radical qui signifie « enfant »
iste : suffixe qui désigne une activité
Orthopédiste – médecin spécialisé dans le traitement
des difformités du corps chez l'enfant.

■ ■ REMARQUE Ce terme définit maintenant autant
les déformations du système locomoteur de l'adulte
que de l'enfant.

4. Ortho/péd/iques
Ortho : radical qui signifie « droit »
péd : radical qui signifie « enfant »
iques : suffixe qui sert à former un adjectif signifiant
« qui se rapporte à »
Orthopédiques – qui se rapporte à l'orthopédie.

■ ■ REMARQUE Ce terme définit maintenant autant
les déformations du système locomoteur de l'adulte
que de l'enfant.

5. Hyper/ostéo/blast/ose
Hyper : préfixe qui exprime une augmentation
ostéo : radical qui signifie « os »
blast : radical qui signifie « jeune cellule »
ose : suffixe qui sert à former des noms d'affections non
inflammatoires
Hyperostéoblastose – affection non inflammatoire, caractérisée
par l'augmentation de l'activité des jeunes cellules osseuses.

6. Hyper/ostéo/clast/ose
Hyper : préfixe qui exprime une augmentation
ostéo : radical qui signifie « os »
clast : radical qui signifie « résorption »
ose : suffixe qui sert à former des noms d'affections non
inflammatoires
Hyperostéoclastose – affection non inflammatoire,
caractérisée par l'augmentation des ostéoclastes (cellules
qui entraînent la résorption osseuse).

7. Médull/aire
Médull : radical qui signifie « moelle »
aire : suffixe qui sert à former un adjectif
Médullaire – qui est de la nature de la moelle, qui se
rapporte à la moelle.

8. Vertébr/ale
Vertébr : radical qui signifie « vertèbre »
ale : suffixe qui sert à former un adjectif féminin singulier
Vertébrale – qui est de la nature des vertèbres, qui se
rapporte aux vertèbres.

9. Lomb/aire
Lomb : radical qui signifie « lombes »
aire : suffixe qui sert à former un adjectif
Lombaire – qui est de la nature des lombes, qui se rapporte
à la région des lombes.

10. Poly/ostéot/ique
Poly : préfixe qui exprime ce qui est exagéré
ostéot : radical qui signifie « os »
ique : suffixe qui sert à former un adjectif qui signifie
« qui se rapporte à »
Polyostéotique – qui se rapporte à une activité exagérée des os.

EXERCICE D'ASSOCIATION

1. CALCANÉ (radical) ITE (suffixe)
2. COST (radical) ECTOMIE (suffixe)
3. COX (radical) ALGIE (suffixe)
4. DORSO (radical) LOMB (radical) AIRE (suffixe)
5. MÉTA (préfixe) CARPE (radical)
6. MÉTA (préfixe) TARSE (radical)
7. OSTÉ (radical) OÏDE (suffixe)
8. OSTÉO (radical) TOME (suffixe)
9. PATELL (radical) ECTOMIE (suffixe)
10. PÉRONÉ (radical) AL (suffixe)
11. SPONDYL (radical) ARTHR (radical) ITE (suffixe)
12. TARS (radical) ITE (suffixe)

Mots croisés

	1	2	3	4	5	6	7	8	9	10	11	12	13	14	15	16	17	18	19	20	21
1	C	O	S	T						S	C	A	P	U	L						C
2	O		A		T						E							C		E
3	S	A	C	R	A	L	G	I	E		R	A	C	H	I			E	R	
4	T		R		L				V				R			V		
5	A			H	A	L	L	U	X	R	I	G	I	D	U	S		V	I	
6	L				L				C						I		C
7				G	O	N		S	P	O	N	D	Y	L		C		A
8	A		O	I								O	A		R	T
9	T	A	R	S	E	C	T	O	M	I	E		F	E	M	O	R	A	L		T
10	T		T								B		T		H
11	E	C	H	A	R	P	E		O	S	T	E		A		H	U	M	E	R
12	L		O						R			L		E		O
13	L		P		C	A	R	P		T	A	R	S		G		S		S
14	E		E		L		C	C				I		E		E
15		D		D		Y	T			E	S
16		I		I	O	P		I	F			P
17	P	S	E	U	D	A	R	T	H	R	O	S	E			T	A	L
18	E				S		O	N	M			A
19	R			A	S		C	O	C	C	Y	G		R
20	O			L		E		R	A		R
21	N					P	O	D	O		L	O	R	D	O	S	E

CHAPITRE 10

Le système **endocrinien**

EXERCICE DE TERMINOLOGIE

1. Diabète insipide
2. Insulinome
3. Myxœdème
4. Diabète sucré
5. Insuline
6. Goitre

EXERCICE PORTANT SUR LES RADICAUX

Radical	Terme
Adrén	Glande surrénale
Hormono	Hormone
Hypophys	Hypophyse
Insul	Îlot (de Langerhans)
Œst	Œstrus
Oo	Œuf, ovule
Oophor	Ovaire
Orchi	Testicule
Ovar	Ovaire
Ovo	Ovule
Pancréat	Pancréas
Pituit	Glande pituitaire
Sell	Selle (turcique)
Strum	Goitre
Test	Testicule
Thym	Thymus
Thyr	Thyroïde
Thyréo	Thyroïde

EXERCICE D'ANALYSE LEXICOGRAPHIQUE

■ ■ R E M A R Q U E Pour trouver la définition de chacun de ces termes, référez-vous au dictionnaire médical de votre choix, aux glossaires contenus dans vos ouvrages de référence ou allez dans MonLab.

1. Hyper/para/thyroïdie
   Hyper : préfixe qui désigne une augmentation
   para : préfixe qui signifie « à côté de »
   thyroïdie : radical qui signifie « thyroïde »
   Hyperparathyroïdie – augmentation (de l'activité des glandes situées) à côté de la thyroïde (parathyroïdes).

2. Hypo/glyc/émie
   Hypo : préfixe qui désigne une diminution
   glyc : radical qui signifie « glucose » ou « sucre »
   émie : radical qui signifie « sang »
   Hypoglycémie – diminution (de la quantité) de glucose ou de sucre dans le sang.

3. Hypo/para/thyroïdie
   Hypo : préfixe qui désigne une diminution
   para : préfixe qui signifie « à côté de »
   thyroïdie : radical qui signifie « thyroïde »
   Hypoparathyroïdie – diminution (de l'activité des glandes situées) à côté de la thyroïde (parathyroïdes).

4. Hypo/thyroïdie
   Hypo : préfixe qui désigne une diminution
   thyroïdie : radical qui signifie « thyroïde »
   Hypothyroïdie – diminution (de l'activité) de la thyroïde.

5. Sur/rénal/ectomie
   Sur : préfixe qui signifie « au-dessus de »
   rénal : radical qui signifie « rein »
   ectomie : suffixe qui désigne une ablation chirurgicale
   Surrénalectomie – ablation chirurgicale (de la glande située) au-dessus du rein (surrénale).

6. Thym/ectomie
   Thym : radical qui signifie « thymus »
   ectomie : suffixe qui désigne une ablation chirurgicale
   Thymectomie – ablation chirurgicale du thymus.

7. Thym/ome
   Thym : radical qui signifie « thymus »
   ome : suffixe qui signifie « tumeur »
   Thymome – tumeur du thymus.

8. Thyroïd/ectomie
   Thyroïd : radical qui signifie « thyroïde »
   ectomie : suffixe qui désigne une ablation chirurgicale
   Thyroïdectomie – ablation chirurgicale de la thyroïde.

9. Thyroïd/ite
   Thyroïd : radical qui signifie « thyroïde »
   ite : suffixe qui désigne une inflammation
   Thyroïdite – inflammation de la thyroïde.

EXERCICE DE LECTURE DIRIGÉE

■ ■ R E M A R Q U E Pour trouver la définition de chacun de ces termes, référez-vous au dictionnaire médical de votre choix, aux glossaires contenus dans vos ouvrages de référence ou allez dans MonLab.

1. Tubo/ovar/iennes
   Tubo : radical qui signifie « trompe (de Fallope ou utérine) »
   ovar : radical qui signifie « ovaire »
   iennes : suffixe qui sert à former un adjectif féminin pluriel qui indique l'origine
   Tubo-ovariennes – qui proviennent des trompes (de Fallope ou utérines) et des ovaires.

2. Hypo/thyroïdie
   Hypo : préfixe qui signifie « diminution »
   thyroïdie : radical qui signifie « thyroïde »
   Hypothyroïdie – diminution de l'activité de la thyroïde.

3. Salpingo/ovari/ectomie
   Salpingo : radical qui signifie « trompe (de Fallope ou utérine) »
   ovari : radical qui signifie « ovaire »
   ectomie : suffixe qui désigne une ablation chirurgicale
   Salpingo-ovariectomie – ablation chirurgicale des trompes (de Fallope ou utérines) et des ovaires.

EXERCICE D'ASSOCIATION

1. HORMON (radical) AL (suffixe)
2. HYPOPHYS (radical) AIRE (suffixe)
3. HYPOPHYS (radical) ECTOMIE (suffixe)
4. OVARI (radical) ALGIE (suffixe)
5. OVARI (radical) ECTOMIE (suffixe)
6. OVAR (radical) ITE (suffixe)
7. OVARIO (radical) LYSE (suffixe)
8. OVARIO (radical) PEXIE (suffixe)
9. THALAM (radical) IQUE (suffixe)
10. THYMO (radical) CYTE (radical)
11. THYRÉO (radical) PATHIE (suffixe)
12. THYROÏD (radical) IEN (suffixe)

Mots croisés

	1	2	3	4	5	6	7	8	9	10	11	12	13	14	15	16	17	18	19	20	21
1	E	N	D	O	C	R	I	N	O	L	O	G	U	E						P	
2	N						N													A	
3	D		N	A	N	I	S	M	E				T	H	Y	M				N	
4	O						U						E		E	Y				C	
5	C	R	I	N			L						N		M	X				R	
6	R						I						D		I	O				E	
7	I	N	S	U	L	I	N	O	M	E		G	O	I	T	R	E			A	
8	N			U			E						C		H	D				T	
9	O			R									R		Y	E				O	
10	L			R		A							I		R	M				G	
11	O		E	N	D	O	C	R	I	N	I	E	N		O	E				R	
12	G			N		R							E		I					A	
13	I			A		E		H					S		D					P	
14	E			L		N		O					E							H	
15				E				R		T	H	Y	M	E	C	T	O	M	I	E	
16	S			C				M					T								
17	E	U	T	H	Y	R	O	I	D	I	E				O						
18	L			O				N							M						
19	L			M				O		T	H	Y	R	O	I	D	I	T	E		
20				I																	
21				E																	

Le système **nerveux**

EXERCICE DE TERMINOLOGIE

1. Myoclonie
2. Vertige
3. Coma
4. Migraine
5. Syringomyélie
6. Tic
7. Épilepsie
8. Tremblement
9. Sclérose en plaques

EXERCICE SUR LES RADICAUX

Radical	Terme
Arachno	Arachnoïde
Bulb	Bulbe
Capit	Tête
Céphal	Tête
Cérébell	Cervelet
Cérébr	Cerveau
Chiasm	Chiasma
Choré	Chorée
Cortic	Cortex
Crani	Crâne
Médull	Moelle
Méning	Méninge
Myél	Moelle
Nerv	Nerf
Neur	Nerf
Névr	Nerf
Rachi	Colonne vertébrale, épine dorsale, rachis

Radical	Terme
Radic	Racine nerveuse
Spin	Colonne vertébrale, épine, Moelle épinière, rachis
Thalam	Thalamus

EXERCICE D'ANALYSE LEXICOGRAPHIQUE

■ ■ REMARQUE Pour trouver la définition de chacun de ces termes, référez-vous au dictionnaire médical de votre choix, aux glossaires contenus dans vos ouvrages de référence ou allez dans MonLab.

1. Électro/en/céphalo/gramme
   Électro : radical qui signifie « électricité »
   en : préfixe qui signifie « à l'intérieur de »
   céphalo : radical qui signifie « tête »
   gramme : suffixe qui désigne un tracé
   Électroencéphalogramme – tracé de l'activité électrique (qui se déroule) à l'intérieur de la tête (encéphale).

2. En/céphal/ite
   en : préfixe qui signifie « à l'intérieur de »
   céphal : radical qui signifie « tête »
   ite : suffixe qui désigne une inflammation
   Encéphalite – inflammation à l'intérieur de la tête (encéphale).

3. Hydro/céphalie
   Hydro : radical qui signifie « liquide »
   céphalie : radical qui signifie « tête »
   Hydrocéphalie – présence de liquide dans la tête.

4. Méning/ite
   Méning : radical qui signifie « méninge »
   ite : suffixe qui désigne une inflammation
   Méningite – inflammation des méninges.

5. Mono/névr/ite
   Mono : radical qui signifie « un seul »
   névr : radical qui signifie « nerf »
   ite : suffixe qui désigne une inflammation
   Mononévrite – inflammation d'un seul nerf.

6. Myél/ite
   Myél : radical qui signifie « moelle »
   ite : suffixe qui désigne une inflammation
   Myélite – inflammation de la moelle.

7. Myélo/pathie
   Myélo : radical qui signifie « moelle »
   pathie : suffixe qui désigne une affection
   Myélopathie – affection de la moelle.

8. Neuro/pathie
   Neuro : radical qui signifie « nerf »
   pathie : suffixe qui désigne une affection
   Neuropathie – affection des nerfs.

9. Névr/algie
   Névr : radical qui signifie « nerf »
   algie : suffixe qui signifie « douleur »
   Névralgie – douleur sur le trajet d'un nerf.

10. Poly/névr/ite
    Poly : préfixe qui signifie « plusieurs »
    névr : radical qui signifie « nerf »
    ite : suffixe qui désigne une inflammation
    Polynévrite – inflammation de plusieurs nerfs.

EXERCICE DE LECTURE DIRIGÉE

■ ■ ■ REMARQUE Pour trouver la définition de chacun de ces termes, référez-vous au dictionnaire médical de votre choix, aux glossaires contenus dans vos ouvrages de référence ou allez dans MonLab.

1. Comat/eux
   Comat : radical qui signifie « coma »
   eux : suffixe qui sert à former un adjectif
   Comateux – qui est de la nature du coma, qui se rapporte au coma.

2. Neuro/logue
   Neuro : radical qui signifie « nerf »
   logue : suffixe qui désigne un spécialiste dans une branche de la médecine
   Neurologue – médecin qui traite les maladies des nerfs.

3. Céphalée
   Le terme céphalée est formé du radical *céphal* qui signifie « tête »
   Céphalées – maux de tête.

4. Méning/é
   Méning : radical qui signifie « méninge »
   é : suffixe qui sert à former un adjectif masculin singulier
   Méningé – qui est de la nature des méninges, qui se rapporte aux méninges.

5. Convulsions
   Le terme convulsions est formé du radical *convuls* qui signifie « convulsion ».

6. Neuro/log/ique
   Neuro : radical qui signifie « nerf »
   log : suffixe qui désigne une science
   ique : suffixe qui signifie « qui se rapporte à »
   Neurologique – qui se rapporte à la science qui traite des maladies des nerfs.

7. Protéino/rachie
   Protéino : radical qui signifie « protéine »
   rachie : radical qui signifie « rachis »
   Protéinorachie – présence de protéines dans le rachis (dans le liquide céphalorachidien).

8. Glyco/rachie
   Glyco : radical qui signifie « glucose »
   rachie : radical qui signifie « rachis »
   Glycorachie – présence de glucose dans le rachis (dans le liquide céphalorachidien).

9. Chloruro/rachie
   Chloruro : radical qui signifie « chlorure »
   rachie : radical qui signifie « rachis »
   Chlorurorachie – présence de chlorure dans le rachis (dans le liquide céphalorachidien).

10. Céphalo/rachid/ien
    Céphalo : radical qui signifie « tête »
    rachid : radical qui signifie « rachis »
    ien : suffixe qui sert à former un adjectif qui indique une origine
    Céphalorachidien – qui se rapporte à la tête et au rachis.

11. Cérébr/al
    Cérébr : radical qui signifie « cerveau »
    al : suffixe qui sert à former un adjectif masculin singulier
    Cérébral – qui est de la nature du cerveau, qui se rapporte au cerveau.

12. Méning/ite
    Méning : radical qui signifie « méninge »
    ite : suffixe qui désigne une inflammation
    Méningite – inflammation des méninges.

EXERCICE D'ASSOCIATION

1. CÉPHAL (radical) ALGIE (suffixe)
2. CÉPHAL (radical) IQUE (suffixe)
3. CÉPHALO (radical) RACHID (radical) IEN (suffixe)
4. CÉRÉBELL (radical) EUX (suffixe)
5. CÉRÉBRO (radical) SPIN (radical) AL (suffixe)
6. MÉNINGI (radical) OME (suffixe)
7. MÉNINGO (radical) CÈLE (suffixe)
8. MYÉLO (radical) GRAPHIE (suffixe)
9. NEURO (radical) LYSE (suffixe)
10. NEUR (radical) OME (suffixe)
11. NÉVR (radical) ITE (suffixe)
12. NÉVRO (radical) TOMIE (suffixe)

Mots croisés

```
    1  2  3  4  5  6  7  8  9 10 11 12 13 14 15 16 17 18 19 20 21
 1  D  Y  S  P  H  O  N  I  E              M  E  N  I  N  G
 2  Y                       N                          E        C
 3  S  Y  M  P  A  T  H  E  C  T  O  M  I  E           U        R
 4  P           T           E                 N        R        A
 5  H     Q  U  A  D  R  I  P  A  R  E  S  I  E        O        N
 6  S        X              H              V           N        E
 7  I        T  I  C     R  A  D  I  C        R  E  F  L  E  X  E
 8  I        E              L                          N        C
 9  E     M     M  E  N  I  N  G  I  O  M  E           E        T
10        I        C           T                                O
11  M  E  G  A  L  E  N  C  E  P  H  A  L  I  E                 M
12  E     R     O     E                       H     C           I
13  N     A     N     R        C  O  M  A        E     E         E
14  I     I     U     V           E              M     R
15  N     N     S           P  O  L  Y  N  E  V  R  I  T  E
16  G     E              H                 P     E
17  I           P  A  R  A  P  L  E  G  I  E     L     L
18  T           L                          E     L
19  E  N  C  E  P  H  A  L  O  P  A  T  H  I  E  G     L
20                                              I
21     V  E  N  T  R  I  C  U  L  O  S  T  O  M  I  E
```

CHAPITRE 12

Les **sens**

EXERCICE DE TERMINOLOGIE

1. Daltonisme
2. Cécité
3. Blépharite
4. Otorrhée
5. Cataracte
6. Tympanite
7. Strabisme
8. Glaucome
9. Dacryolithe
10. Ptérygion
11. Épiphora
12. Presbytie
13. Hyphéma

14. Surdité
15. Amaurose fugace
16. Hypermétropie
17. Astigmatisme
18. Dacryocystite
19. Otospongiose
20. Scotomes
21. Myopie

EXERCICE PORTANT SUR LES RADICAUX

Radical	Terme
Acou	Audition, entendre
Bléphar	Paupière
Chorio	Choroïde
Conjonctiv	Conjonctive
Corné	Cornée
Dacry	Larme
Gueusie	Goût, goûter
Gust	Goût, goûter
Irid	Iris
Kérat	Cornée
Lacrym	Larme
Myringo	Tympan
Nas	Nez
Ocul	Œil
Opie	Vision, voir, vue
Ot	Oreille
Pupill	Pupille
Rétin	Rétine
Sclér	Sclérotique
Stapéd	Étrier

EXERCICE D'ANALYSE LEXICOGRAPHIQUE

■ ■ ■ R E M A R Q U E Pour trouver la définition de chacun
de ces termes, référez-vous au dictionnaire médical de
votre choix, aux glossaires contenus dans vos ouvrages
de référence ou allez dans MonLab.

1. Blépharo/chalasis
   Blépharo : radical qui signifie « paupière »
   chalasis : suffixe qui signifie « relâchement »
   Blépharochalasis – relâchement des paupières.

2. Chorio/– rétin/ite
   Chorio : radical qui signifie « choroïde »
   rétin : radical qui signifie « rétine »
   ite : suffixe qui désigne une inflammation
   Choriorétinite – inflammation de la choroïde et de la rétine.

3. Conjonctiv/ite
   Conjonctiv : radical qui signifie « conjonctive »
   ite : suffixe qui désigne une inflammation
   Conjonctivite – inflammation de la conjonctive.

4. Dipl/opie
   Dipl : radical qui signifie « double »
   opie : radical qui signifie « vision »
   Diplopie – vision double.

5. Hémo/tympan
   Hémo : radical qui signifie « sang »
   tympan : radical qui signifie « tympan »
   Hémotympan – (présence de) sang dans le tympan.

6. Kérat/ite
   Kérat : radical qui signifie « cornée »
   ite : suffixe qui désigne une inflammation
   Kératite – inflammation de la cornée.

7. Kérato/plastie
   Kérato : radical qui signifie « cornée »
   plastie : suffixe qui désigne une réparation chirurgicale
   Kératoplastie – réparation chirurgicale de la cornée.

8. Kérato/tomie
   Kérato : radical qui signifie « cornée »
   tomie : suffixe qui désigne une incision chirurgicale
   Kératotomie – incision chirurgicale de la cornée.

9. Ophtalmo/malacie
   Ophtalmo : radical qui signifie « œil »
   malacie : suffixe qui désigne un ramollissement
   Ophtalmomalacie – ramollissement de l'œil.

10. Ophtalmo/plégie
    Ophtalmo : radical qui signifie « œil »
    plégie : radical qui signifie « paralysie »
    Ophtalmoplégie – paralysie de l'œil.

11. Orbito/tomie
    Orbito : radical qui signifie « orbite »
    tomie : suffixe qui désigne une incision chirurgicale
    Orbitotomie – incision chirurgicale de l'orbite.

12. Ot/ite
    Ot : radical qui signifie « oreille »
    ite : suffixe qui désigne une inflammation
    Otite – inflammation de l'oreille.

13. Pan/ophtalmie
    Pan : préfixe qui signifie « tout »
    ophtalmie : radical qui se rapporte à l'œil et qui désigne
    une inflammation
    Panophtalmie – inflammation de tout l'œil.

14. Photo/phobie
    Photo : radical qui signifie « lumière »
    phobie : suffixe qui signifie « peur »
    Photophobie – littéralement, peur de la lumière (il s'agit
    en fait d'une très forte sensibilité à la lumière).

15. Rétino/pathie
    Rétino : radical qui signifie « rétine »
    pathie : suffixe qui désigne une affection
    Rétinopathie – affection de la rétine.

16. Rhino/plastie
    Rhino : radical qui signifie « nez »
    plastie : suffixe qui désigne une réparation chirurgicale
    Rhinoplastie – réparation chirurgicale du nez.

17. Septo/plastie
    Septo : radical qui signifie « septum (ici, nasal) »
    plastie : suffixe qui désigne une réparation chirurgicale
    Septoplastie – réparation chirurgicale du septum (nasal).

18. Sinus/ite
    Sinus : radical du latin *sinus,* qui signifie courbe
    ite : suffixe qui désigne une inflammation
    Sinusite – inflammation d'un sinus.

19. Stapéd/ectomie
    Stapéd : radical qui signifie « étrier »
    ectomie : suffixe qui désigne une ablation chirurgicale
    Stapédectomie – ablation chirurgicale de l'étrier.

20. Tympano/plastie
    Tympano : radical qui signifie « tympan »
    plastie : suffixe qui désigne une réparation chirurgicale
    Tympanoplastie – réparation chirurgicale du tympan.

21. Tympano/sclér/ose
    Tympano : radical qui signifie « tympan »
    sclér : radical qui signifie « épaississement »
    ose : suffixe qui désigne une affection chronique
    Tympanosclérose – affection chronique, caractérisée
    par l'épaississement du tympan.

22. Uvé/ite
    Uvé : radical qui signifie « uvée »
    ite : suffixe qui désigne une inflammation
    Uvéite – inflammation de l'uvée.

EXERCICE DE LECTURE DIRIGÉE

■ ■ ■ REMARQUE Pour trouver la définition de chacun
de ces termes, référez-vous au dictionnaire médical de
votre choix, aux glossaires contenus dans vos ouvrages
de référence ou allez dans MonLab.

CAS N° 1

1. Ot/ite
   Ot : radical qui signifie « oreille »
   ite : suffixe qui désigne une inflammation
   Otite – inflammation de l'oreille.

2. Rhino/rrhée
   Rhino : radical qui signifie « nez »
   rrhée : suffixe qui désigne un écoulement
   Rhinorrhée – écoulement du nez.

3. Nas/ale
   Nas : radical qui signifie « nez »
   ale : suffixe qui sert à former un adjectif féminin singulier
   Nasale – qui est de la nature du nez, qui se rapporte au nez.

4. Oto/rhino/laryngo/log/iste
   Oto : radical qui signifie « oreille »
   rhino : radical qui signifie « nez »
   laryngo : radical qui signifie « larynx »
   log : suffixe qui désigne une science
   iste : suffixe qui désigne une activité
   Otorhinolaryngologiste – médecin spécialiste, qui a pour
   activité le traitement des maladies des oreilles, du nez et
   du larynx (gorge).

CAS N° 2

5. Ophtalmo/logie
   Ophtalmo : radical qui signifie « œil »
   logie : suffixe qui désigne une science
   Ophtalmologie – science qui étudie les affections de l'œil.

6. Vision
   Le terme vision est formé du radical visio qui signifie « voir ».

7. Visu/el
   Visu : radical qui signifie « voir »
   el : suffixe qui sert à former un adjectif masculin singulier
   Visuel – qui est de la nature de la vision ou qui se rapporte
   à la vision (action de voir).

8. Ophtalmo/log/iste
   Ophtalmo : radical qui signifie « œil »
   log : suffixe qui désigne une science
   iste : suffixe qui désigne une activité
   Ophtalmologiste – médecin spécialiste, qui a pour activité
   le traitement des affections des yeux.

9. Phaco/fragmentation
   Phaco : radical qui signifie « cristallin »
   fragmentation – action de fragmenter
   Phacofragmentation – fragmentation du cristallin.

10. Intra/ocul/aire
    Intra : préfixe qui signifie « à l'intérieur de »
    ocul : radical qui signifie « œil »
    aire : suffixe qui sert à former un adjectif
    Intraoculaire – qui se rapporte à l'intérieur de l'œil.

EXERCICE D'ASSOCIATION

1. ACOU (radical) MÉTRIE (suffixe)
2. A (préfixe) PHAKIE (radical)
3. BLÉPHARO (radical) RRAPHIE (suffixe)
4. DACRYO (radical) CYST (radical) ITE (suffixe)
5. GLOSS (radical) ALGIE (suffixe)
6. IRID (radical) ECTOMIE (suffixe)
7. KÉRATO (radical) TOMIE (suffixe)
8. LACRYM (radical) AL (suffixe)
9. MYRINGO (radical) TOMIE (suffixe)
10. OT (radical) ODYNIE (suffixe)
11. OTO (radical) SCOPIE (suffixe)
12. RHINO (radical) PATHIE (suffixe)

Mots croisés

```
    1  2  3  4  5  6  7  8  9 10 11 12 13 14 15 16 17 18 19 20 21
 1  O  T  O  M  Y  C  O  S  E     O  R  B  I  T  O  T  O  M  I  E
 2  T     T                 P              Y
 3  O  T  O  S  P  O  N  G  I  O  S  E        M  Y  O  P  I  E
 4  R                       I     A     P
 5  R  H  I  N  O  R  R  A  G  I  E     S  T  A  P  E  D
 6  H     R                 T              N
 7  E  P  I  S  C  L  E  R  I  T  E        O  T  I  T  E
 8  E     D                 N              E  S
 9        D  A  C  R  Y  O  A  D  E  N  E  C  T  O  M  I  E
10  G     A     G           O        O  L                 H
11  L  I  N  G  U  A        P     P  R  E  S  B  Y  T  I  E
12  A     O     E           H     I        R              M
13  U     P     U  V        T     E        O  C  U  L  O     I
14  C     H     S           A              S     P        A
15        T     I     S     L     U        E        I     N
16        A     E  C        M     V              E        O
17        L     G  L  O  S  S  I  T  E  S                 P
18  S     M        E        E     I        I              S
19  E  P  I  P  H  O  R  A        S  T  R  A  B        I
20  P     E           E     L                          E
21  T
```

CHAPITRE 13

Les fonctions **cérébrales supérieures**

EXERCICE DE TERMINOLOGIE

1. Démence
2. Névrose

3. Alcoolisme
4. Confusion
5. Mélancolie
6. Boulimie
7. Illusion
8. Obsession
9. Anxiété
10. Hypocondrie
11. Paranoïa
12. Bégaiement
13. Psychose
14. Anorexie mentale
15. Hallucination
16. Schizophrénie
17. Hystérie
18. Trouble bipolaire

EXERCICE D'ANALYSE LEXICOGRAPHIQUE

■ ■ R E M A R Q U E Pour trouver la définition de chacun de ces termes, référez-vous au dictionnaire médical de votre choix, aux glossaires contenus dans vos ouvrages de référence ou allez dans MonLab.

1. Cocaïno/manie
   Cocaïno : radical qui signifie « cocaïne »
   manie : suffixe qui désigne, entre autres, un besoin
   Cocaïnomanie – besoin de cocaïne.

2. Hémato/phobie
   Hémato : radical qui signifie « sang »
   phobie : suffixe qui signifie « peur »
   Hématophobie – peur du sang.

3. Héroïno/manie
   Héroïno : radical qui signifie « héroïne »
   manie : suffixe qui désigne, entre autres, un besoin
   Héroïnomanie – besoin d'héroïne.

4. Hydro/phobie
   Hydro : radical qui signifie « eau »
   phobie : suffixe qui signifie « peur »
   Hydrophobie – peur de l'eau.

5. Miso/gynie
   Miso : radical qui signifie « haine »
   gynie : radical qui signifie « femme »
   Misogynie – haine des femmes.

6. Mytho/manie
   Mytho : radical qui signifie « fable »
   manie : suffixe qui désigne, ici, une habitude
   Mythomanie – habitude de raconter des fables, de fabuler.

EXERCICE DE LECTURE DIRIGÉE

■ ■ R E M A R Q U E Pour trouver la définition de chacun de ces termes, référez-vous au dictionnaire médical de votre choix, aux glossaires contenus dans vos ouvrages de référence ou allez dans MonLab.

1. Psych/ose
   Psych : radical qui signifie « âme »
   ose : suffixe qui désigne une maladie chronique
   Psychose – maladie chronique de l'âme (maladie mentale).

2. Maniaco/dépress/ive
   Maniaco : radical qui signifie « manie »
   dépress : radical qui signifie « dépression »
   ive : suffixe qui sert à former un adjectif féminin singulier
   Maniacodépressive – qui est de la nature de la manie et de la dépression, qui se rapporte à la manie et à la dépression.

3. Psych/iatrie
   Psych : radical qui signifie « âme »
   iatrie : suffixe qui désigne ici une spécialité médicale
   Psychiatrie – spécialité médicale (qui traite) les maladies de l'âme (mentales).

4. Psych/iatr/iques
   Psych : radical qui signifie « âme »
   iatr : suffixe qui désigne ici une spécialité médicale
   iques : suffixe qui sert à former un adjectif pluriel, signifiant « qui se rapporte à »
   Psychiatriques – relatifs à la psychiatrie (voir plus haut).

5. Psych/iatre
   Psych : radical qui signifie « âme »
   iatre : suffixe qui désigne un médecin spécialisé
   Psychiatre – médecin qui soigne les maladies de l'âme (mentales).

6. Dépress/ive
   Dépress : radical qui signifie « dépression »
   ive : suffixe qui sert à former un adjectif féminin
   Dépressive – qui est de la nature de la dépression, qui se rapporte à la dépression.

7. Pharmaco/dépendance
   Pharmaco : radical qui signifie « médicament »
   dépendance : le fait de dépendre de quelque chose
   Pharmacodépendance – dépendance aux médicaments.

8. Agora/phobie
   Agora : radical qui signifie « endroit »
   phobie : suffixe qui signifie « peur »
   Agoraphobie – peur (de se trouver) dans certains endroits (espaces libres, lieux publics).

9. Schizo/phrénie
   Schizo : radical qui signifie « division »
   phrénie : radical qui signifie « esprit »
   Schizophrénie – division de l'esprit.

10. Dépress/if
    Dépress : radical qui signifie « dépression »
    if : suffixe qui sert à former un adjectif masculin singulier
    Dépressif – qui est de la nature de la dépression, qui se rapporte à la dépression.

EXERCICE D'ASSOCIATION

1. ÉTHYL (radical) IQUE (suffixe)
2. NARCO (radical) THÉRAPIE (suffixe)
3. NOSO (radical) PHOBIE (suffixe)
4. PHOTO (radical) PHOBIE (suffixe)
5. POTO (radical) MANIE (suffixe)
6. PYRO (radical) MANIE (suffixe)
7. THERMO (radical) PHOBIE (suffixe)

Mots croisés

```
     1  2  3  4  5  6  7  8  9 10 11 12 13 14 15 16 17 18 19 20 21
1    P  S  Y  C  H  A  S  T  H  E  N  I  E     A     M     B
2    S                          A              L     A     O
3    Y     P  S  Y  C  H  I  A  T  R  E        C     N     U
4    C                          C              T     O     L
5    H  Y  S  T  E  R  I  E     T  O  X  I  C  O  M  A  N  I  E
6    O     C     T     N     O     T     T     L     Q     M        M
7    T     H     H     S     B     H     I     I     U     I        E
8    H     I     Y     O     S     E     L     S     E     E        L
9    E     Z     L     M     E     R     L     M     A
10   R     O     I     N     S     A     O     E              N
11   A     P     S     I     S     P     M                    C
12   P     H     M     E     I     I     A                    O
13   I     R     E     C  O  D  E  I  N  O  M  A  N  I  E      L
14   E     E     N     I     I
15   A  N  X  I  E  T  E        P  E  D  O  P  H  I  L  I  E
16   I
17   N  E  U  R  A  S  T  H  E  N  I  E
```

CHAPITRE 14

Exercices d'**intégration**

EXERCICE Nº 1

1. Gastr/algie   *R   S*
2. Recto/cèle   *R   S*
3. Thoraco/centèse   *R   S*
4. Arthro/dèse   *R   S*
5. Phléb/ectasie   *R   S*
6. Électro/en/céphalo/gramme   *R   P   R   S*
7. Neuro/logie   *R   S*
8. Dermato/logue   *R   S*
9. Hémato/logue   *R   S*
10. Néphro/logie   *R   S*
11. Onco/logie   *R   S*
12. Trachéo/malacie   *R   S*
13. Héroïno/manie   *R   S*
14. Toxico/manie   *R   S*
15. Hystéro/métrie   *R   S*
16. Osté/oïde   *R S*

17. Fibr/ome   *R   S*
18. Lip/ome   *R   S*
19. My/ome   *R   S*
20. Adén/ectopie   *R   R*
21. Alvéol/aire   *R   S*
22. Angio/pathie   *R   S*
23. Hydro/phobie   *R   S*
24. Hystéro/ptose   *R   S*
25. Cox/algie   *R   S*
26. Proct/algie   *R   S*

EXERCICE Nº 2

1. An/orexie   *P   R*
2. A/phakie   *P   R*
3. An/urie   *P   R*
4. Quadri/plégie   *R   R*
5. Cysto/stomie   *R   S*
6. Trachéo/stomie   *R   S*
7. Colo/-colo/stomie   *R   R   S*
8. Arthro/scopie   *R   S*
9. Broncho/scopie   *R   S*
10. Cysto/scopie   *R   S*
11. Litho/tripsie   *R   S*
12. Pyo/gène   *R   S*
13. Leuco/pénie   *R   S*
14. Leuco/cyte   *R   R*
15. Érythro/cyte   *R   R*
16. Dys/phagie   *P   R*
17. Onycho/phagie   *R   R*
18. Myélo/graphie   *R   S*
19. Mammo/graphie   *R   S*
20. Pyélo/graphie   *R   S*

P   R
21. Olig/urie
        P   R
22. Pollaki/urie
        R   R
23. Py/urie
        R   S
24. Oxy/métrie
        P   R
25. Tachy/pnée
        P   R
26. Dys/pnée
        R   S
27. Orchido/pexie
        P   R
28. Dys/pepsie
        P   R
29. Dys/phasie
        P   R
30. A/phasie
        P   R
31. Poly/dipsie
        R   S
32. Gynéco/logie
        R   R
33. Gynéco/mastie
        P   R
34. Hyper/plasie
        R   S
35. Sclér/ose
        R   R   S
36. Artério/sclér/ose
        R   S
37. Cryo/thérapie
        R   S
38. Hormono/thérapie
        R   S
39. Hépato/mégalie
        R   S
40. Cardio/mégalie
        P   R
41. Macro/glossie
        P   R
42. Macro/gnathie
        P   R
43. Brachy/pnée
        P   R
44. Épi/gastre
        P   R
45. Épi/glotte
        R   S
46. Ocul/iste
        R   S
47. Œsophago/scopie
        R   S
48. Bronchi/ole
        R   S
49. Artéri/ole
        R   R
50. Pachy/méninge
        R   S
51. Rétino/pathie
        R   S
52. Salpingo/graphie

EXERCICE Nº 3

A

1. Amygdalectomie
2. Pancréatectomie
3. Cholécystectomie
4. Hémicolectomie
5. Néphrectomie
6. Embolectomie
7. Splénectomie
8. Gastrectomie
9. Salpingectomie
10. Hystérectomie
11. Hépatectomie

B

1. Cholédochotomie
2. Myringotomie
3. Trachéotomie
4. Kératotomie
5. Sternotomie
6. Duodénotomie
7. Rectotomie
8. Entérotomie
9. Pancréatotomie
10. Laparotomie
11. Valvulotomie
12. Périnéotomie
13. Épisiotomie

C

1. Pharyngite
2. Glossite
3. Amygdalite
4. Colite
5. Gastrite
6. Hépatite
7. Dacryocystite
8. Cholécystite
9. Laryngite
10. Spondylite
11. Kératite
12. Endocardite
13. Bronchite

D

1. Anémie
2. Lipémie
3. Hyponatrémie
4. Hyperkaliémie
5. Hypercalcémie
6. Septicémie
7. Hyperbilirubinémie
8. Chlorémie
9. Hypercholestérolémie
10. Hypoglycémie
11. Hypoprotéinémie

E

1. Métrorragie
2. Ménorragie
3. Cystorragie
4. Bronchorragie
5. Élytrorragie

6. Microrragie
7. Entérorragie
8. Rectorragie

F

1. Hépatorraphie
2. Angiorraphie
3. Entérorraphie
4. Blépharorraphie
5. Cystorraphie
6. Cholécystorraphie
7. Colporraphie
8. Périnéorraphie

EXERCICE Nº 4 – EXERCICE DE LECTURE DIRIGÉE

CAS Nº 1

1. Urgento/logue
   Urgento : radical qui signifie « (médecine) d'urgence »
   logue : suffixe qui signifie « médecin spécialisé en »
   Urgentologue : médecin spécialisé en médecine d'urgence.

2. Électro/cardio/gramme
   Électro : radical qui signifie « électricité »
   cardio : radical qui signifie « cœur »
   gramme : suffixe qui signifie « écrit, tracé »
   Électrocardiogramme : Courbe obtenue grâce
   à l'électrocardiographe.

3. Coronar/iens
   Coronar : radical qui signifie « coronaire »
   iens : suffixe qui signifie « adjectif qui indique une origine »
   Coronariens : Qui se rapporte aux vaisseaux coronaires,
   donc du cœur.

4. Myo/carde
   Myo : radical qui signifie « muscle »
   carde : radical qui signifie « cœur »
   Myocarde : Muscle du cœur.

5. Cardio/logue
   Cardio : radical qui signifie « cœur »
   logue : suffixe qui signifie « médecin spécialisé en »
   Cardiologue : Médecin spécialisé dans les maladies du cœur.

6. Card/iaque
   Card : radical qui signifie « cœur »
   iaque : suffixe qui signifie « adjectif »
   Cardiaque : Qui a rapport au cœur.

7. Artério/sclér/euse
   Artério : radical qui signifie « artère »
   sclér : radical qui signifie entre autres « épaississement »
   euse : suffixe qui signifie « adjectif »
   Artérioscléreuse : Atteint d'artériosclérose.

8. Auricul/aire
   Auricul : radical qui signifie « oreillette »
   aire : suffixe qui signifie « adjectif »
   Auriculaire : Qui se rapporte à l'oreillette du cœur.

9. Chron/ique
   Chron : radical qui signifie « temps »
   ique : suffixe qui signifie « qui se rapporte à »
   Chronique : Qui dure, qui évolue longtemps.

10. Hyper/tension
    Hyper : préfixe qui signifie « augmentation »
    tension : radical qui signifie « tension »
    Hypertension : Augmentation de la tension.

11. Artéri/elle
    Artéri : radical qui signifie « artère »
    elle : suffixe qui signifie « adjectif »
    Artérielle : Qui concerne les artères.

12. Néphro/pathie
    Néphro : radical qui signifie « rein »
    pathie : suffixe qui signifie « affection, maladie »
    Néphropathie : Affection, maladie du rein.

13. Diabét/ique
    Diabét : radical qui signifie « diabète »
    ique : suffixe qui signifie « qui se rapporte à »
    Diabétique : Qui se rapporte au diabète.

14. Bronch/ite
    Bronch : radical qui signifie « bronche »
    ite : suffixe qui signifie « inflammation »
    Bronchite : Inflammation de la muqueuse des bronches.

15. Asthmat/ique
    Asthmat : radical qui signifie « asthme »
    ique : suffixe qui signifie « qui se rapporte à »
    Asthmatique : Qui se rapporte à l'asthme.

16. Rétino/pathie
    Rétino : radical qui signifie « rétine »
    pathie : suffixe qui signifie « affection, maladie »
    Rétinopathie : Affection, maladie de la rétine.

17. Hyper/trophie
    Hyper : préfixe qui signifie « augmentation »
    trophie : radical qui signifie « nutrition »
    Hypertrophie : Augmentation de la nutrition d'un organe.

18. Endo/crino/logue
    Endo : préfixe qui signifie « à l'intérieur de »
    crino : radical qui signifie « sécréter »
    logue : suffixe qui signifie « médecin spécialisé en »
    Endocrinologue : Médecin spécialisé dans les maladies
    des glandes endocrines.

19. Pneumo/logue
    Pneumo : radical qui signifie « poumon »
    logue : médecin spécialisé en
    Pneumologue : Médecin spécialisé dans les maladies
    des poumons.

20. Respirat/oire
    Respirat : radical qui signifie « respiration »
    oire : suffixe qui signifie « adjectif »
    Respiratoire : Qui concerne la respiration.

21. Ophtalmolog/iste
    Ophtalmolog : radical qui signifie « œil »
    iste : suffixe qui signifie entre autres « qui a une activité »
    Ophtalmologiste : Médecin qui s'occupe des maladies
    des yeux.

22. Pulmon/aire
    Pulmon : radical qui signifie « poumon »
    aire : suffixe qui signifie « adjectif »
    Pulmonaire : Qui concerne les poumons.

23. Hémo/culture
Hémo : radical qui signifie « sang »
culture : terme qui signifie « culture »
Hémoculture : Ensemencement d'un milieu de culture
avec une petite quantité de sang.

24. Septic/émie
Septic : radical qui signifie entre autres « infection »
émie : radical qui signifie « sang »
Septicémie : infection générale grave de l'organisme,
caractérisée par des décharges importantes et répétées,
dans le sang, de germes pathogènes.

25. Strepto/coques
Strepto : radical qui signifie entre autres « streptocoque »
coques : radical qui signifie entre autres « en forme de coque »
Streptocoques : Bactérie constituée de germes Gram +
de forme arrondie.

26. Anti/bio/thérapie
Anti : préfixe qui signifie entre autres « action contraire »
bio : radical qui signifie « vie »
thérapie : suffixe qui signifie entre autres « traitement »
Antibiothérapie : Emploi thérapeutique de substances
antibiotiques.

27. Abdomin/ales
Abdomin : radical qui signifie entre autres « abdomen »
ales : suffixe qui signifie « adjectif »
Abdominales : Qui concerne l'abdomen.

28. Gastro/entéro/logue
Gastro : radical qui signifie « estomac »
entéro : radical qui signifie « intestin »
logue : suffixe qui signifie « médecin spécialisé en »
Gastro-entérologue : Médecin spécialisé dans les maladies
de l'estomac et de l'intestin.

29. Clin/ique
Clin : radical qui signifie entre autres « lit »
ique : suffixe qui signifie « qui se rapporte à »
Clinique : Qui peut être effectué, ou constaté par le médecin, au lit du malade.

CAS Nº 2

1. Urin/aire
Urin : radical qui signifie « urine »
aire : suffixe qui signifie « adjectif »
Urinaire : Qui concerne l'urine.

2. Hémat/urie
Hémat : radical qui signifie « sang »
urie : radical qui signifie « urine »
Hématurie : Présence de sang dans l'urine.

3. Uro/logue
Uro : radical qui signifie « urine »
logue : suffixe qui signifie « médecin spécialisé en… »
Urologue : Médecin spécialisé dans l'étude et le traitement
de l'appareil urinaire et, chez l'homme, de l'appareil génital.

4. Clin/ique
Clin : radical qui signifie entre autres « lit »
ique : suffixe qui signifie « qui se rapporte à »
Clinique : Qui peut être effectué, ou constaté par le médecin,
au lit du malade.

5. Uro/logie
Uro : radical qui signifie « urine »
logie : suffixe qui signifie « étude, science »
Urologie : Étude de l'appareil urinaire et, chez l'homme,
de l'appareil génital.

6. Hypo/thyroïdie
Hypo : préfixe qui signifie entre autres « diminution,
insuffisance »
thyroïdie : radical qui signifie « thyroïde »
Hypothyroïdie : Insuffisance de la sécrétion thyroïdienne.

7. Hypo/glyc/émie
Hypo : préfixe qui signifie entre autres « diminution,
insuffisance »
glyc : radical qui signifie entre autres « glucose »
émie : radical qui signifie « sang »
Hypoglycémie : Diminution de la quantité de glucose
contenue dans le sang.

8. A/pnée
A : préfixe qui signifie « absence »
pnée : radical qui signifie « respiration »
Apnée : Arrêt plus ou moins prolongé de la respiration.

9. Glomérulo/néphr/ite
Glomérulo : radical qui signifie « glomérule »
néphr : radical qui signifie « rein »
ite : suffixe qui signifie inflammation
Glomérulonéphrite : Toute maladie rénale caractérisée
par une atteinte inflammatoire des glomérules.

10. Chron/ique
Chron : radical qui signifie « temps »
ique : suffixe qui signifie « qui se rapporte à »
Chronique : Qui dure, qui évolue longtemps.

11. Artério/sclér/ose
Artério : radical qui signifie « artère »
sclér : radical qui signifie entre autres « épaississement »
ose : suffixe qui signifie « maladie ou affection chronique »
Artériosclérose : Maladie dégénérative de l'artère affectant
les fibres musculaires lisses et les fibres élastiques qui
la constituent.

12. Aort/ique
Aort : radical qui signifie « aorte »
ique : suffixe qui signifie « qui se rapporte à »
Aortique : Qui a rapport à l'aorte ou aux valvules situées
à son orifice.

13. Prostat/ique
Prostat : radical qui signifie « prostate »
ique : suffixe qui signifie « qui se rapporte à »
Prostatique : Qui a rapport à la prostate.

14. Patho/log/iste
Patho : radical qui signifie « maladie »
log : suffixe qui signifie « étude, science »
iste : suffixe qui signifie « qui suit une doctrine »
Pathologiste : Médecin spécialiste dans l'étude des maladies.

15. Adéno/carcin/ome
Adéno : radical qui signifie « glande »
carcin : radical qui signifie « cancer »
ome : suffixe qui signifie cancer, tumeur
Adénocarcinome : Tumeur maligne développée aux dépens
d'un épithélium glandulaire.

16. Prostat/ectomie
Prostat : radical qui signifie « prostate »
ectomie : suffixe qui signifie entre autres « ablation chirurgicale »
Prostatectomie : Ablation totale ou partielle de la prostate.

17. Périné/ale
Périné : radical qui signifie « périnée »
ale : suffixe qui signifie « adjectif »
Périnéale : Qui concerne le périnée.

18. An/esthésie
An : préfixe qui signifie entre autres « perte »
esthésie : radical qui signifie « sensibilité »
Anesthésie : Suspension plus ou moins complète de la sensibilité générale, ou de la sensibilité d'un organe ou d'une partie du corps.

19. An/esthés/iste
An : préfixe qui signifie entre autres « perte »
esthés : radical qui signifie « sensibilité »
iste : suffixe qui signifie « qui suit une doctrine »
Anesthésiste : Personne chargée de provoquer et d'entretenir l'anesthésie locale ou générale au cours d'une opération chirurgicale.

20. Pulmon/aire
Pulmon : radical qui signifie « poumon »
aire : suffixe qui signifie « adjectif »
Pulmonaire : Qui concerne les poumons.

21. Hémo/culture
Hémo : radical qui signifie « sang »
culture : terme qui signifie « culture »
Hémoculture : Ensemencement d'un milieu de culture avec une petite quantité de sang.

22. Pneumo/lithe
Pneumo : radical qui signifie « poumon »
lithe : suffixe qui signifie « calcul, pierre »
Pneumolithe : Concrétion solide qui se trouve parfois dans le parenchyme pulmonaire.

23. Anti/bio/thérapie
Anti : préfixe qui signifie entre autres « action contraire »
bio : radical qui signifie « vie »
thérapie : suffixe qui signifie entre autres « traitement »
Antibiothérapie : Emploi thérapeutique de substances antibiotiques.

24. Intra/vein/euse
Intra : préfixe qui signifie « à l'intérieur de »
vein : radical qui signifie « veine »
euse : suffixe qui signifie « adjectif »
Intraveineuse : Qui est à l'intérieur d'une veine.

25. Or/ale
Or : radical qui signifie « bouche »
ale : suffixe qui signifie « adjectif »
Orale : Relatif à la bouche.

26. Cardio/logie
Cardio : radical qui signifie « cœur »
logie : suffixe qui signifie « étude, science »
Cardiologie : Étude du cœur et de ses maladies.

27. Auricul/aire
Auricul : radical qui signifie « oreillette »
aire : suffixe qui signifie « adjectif »
Auriculaire : Qui se rapporte à une oreillette du cœur.

28. Anti/coagulo/thérapie
Anti : préfixe qui signifie entre autres « action contraire »
coagulo : radical qui signifie « coagulation »
thérapie : suffixe qui signifie entre autres « traitement »
Anticoagulothérapie : Emploi thérapeutique d'anticoagulants.

29. Cardio/mégalie
Cardio : radical qui signifie « cœur »
mégalie : suffixe qui signifie entre autres « de très grande taille »
Cardiomégalie : Augmentation de volume du cœur.

30. Électro/cardio/graphie
Électro : radical qui signifie « électricité »
cardio : radical qui signifie « cœur »
graphie : suffixe qui signifie « qui produit un document écrit »
Électrocardiographie : Examen destiné à enregistrer l'activité électrique du muscle cardiaque.

31. Card/iaques
Card : radical qui signifie « cœur »
iaques : suffixe qui signifie « adjectif »
Cardiaques : Qui a rapport au cœur.

32. Oss/eux
Oss : radical qui signifie « os »
eux : suffixe qui signifie « adjectif »
Osseux : Relatif aux os.

33. Radio/log/iques
Radio : radical qui signifie « rayon »
log : suffixe qui signifie « étude, science »
iques : suffixe qui signifie « qui se rapporte à »
Radiologiques : Qui se rapporte aux rayons-X.

34. Oss/euses
Oss : radical qui signifie « os »
euses : suffixe qui signifie « adjectif »
Osseuses : Relatif aux os.

35. Chimio/thérapie
Chimio : radical qui signifie « agents chimiques »
thérapie : suffixe qui signifie entre autres « traitement »
Chimiothérapie : Thérapeutique par les substances chimiques.

36. Cutan/ée
Cutan : radical qui signifie « peau »
ée : suffixe qui signifie « adjectif »
Cutanée : Qui concerne la peau.

37. Dermato/logue
Dermato : radical qui signifie « peau »
logue : suffixe qui signifie « médecin spécialisé en… »
Dermatologue : Médecin spécialisé dans les maladies de la peau.

38. Dermato/logie
Dermato : radical qui signifie « peau »
logie : suffixe qui signifie « étude, science »
Dermatologie : Partie de la médecine qui s'occupe des maladies de la peau, des muqueuses voisines et des phanères.

39. Patho/logie
Patho : radical qui signifie « maladie »
logie : suffixe qui signifie « étude, science »
Pathologie : Partie de la médecine ayant pour objet l'étude des maladies.

40. Carcin/ome
Carcin : radical qui signifie « cancer »
ome : suffixe qui signifie « cancer, tumeur »
Carcinome : Tumeur maligne développée aux dépens des tissus épithéliaux.

41. Baso/cellul/aire
Baso : radical qui signifie « couche basale de l'épiderme »
cellul : radical qui signifie « cellule »
aire : suffixe qui signifie adjectif
Basocellulaire : Relatif à la couche profonde ou basale de l'épiderme.

42. Fibr/ose
Fibr : radical qui signifie « fibre »
ose : suffixe qui signifie entre autres « maladie ou affection chronique »
Fibrose : Augmentation pathologique du tissu conjonctif d'un organe.
La fibrose est la dernière phase d'une inflammation chronique ou de la cicatrisation d'une blessure.

43. Onco/logie
Onco : radical qui signifie entre autres « cancer, tumeur »
logie : suffixe qui signifie « étude, science »
Oncologie : Étude des tumeurs.